MARK TWAIN

Tom Sawyers
neue Abenteuer

Die Reise im Ballon
Tom Sawyer als Detektiv

ENSSLIN & LAIBLIN VERLAG REUTLINGEN

Aus dem Amerikanischen übertragen von Reinhard Wagner
Schutzumschlag, Einband und Illustrationen
von Rudolf Führmann

46.–51. Tausend

Überarb. Neuauflage: 1998 97 96 95 94 93 92 91 90 89 86 8 7 6

© Ensslin & Laiblin KG Verlag Reutlingen 1969.
Sämtliche Rechte, auch die der Verfilmung, des Vortrags, der Rundfunk- und
Fernsehübertragung sowie der fotomechanischen Wiedergabe, vorbehalten.
Druck: Offizin Chr. Scheufele, Stuttgart.
Bindearbeiten: G. Lachenmaier, Reutlingen.
Schrift: IBM-Aldin Roman. Printed in Germany. ISBN 3-7709-0273-4

Die Reise im Ballon

1

Glaubt ihr vielleicht, Tom sei nach all diesen Abenteuern endlich zufrieden gewesen? Ich meine die Abenteuer, die wir auf dem Mississippi erlebten, wie wir unsern guten alten Nigger Jim befreiten und sie Tom eins auf den Pelz brannten. Na, das glaubt ihr doch wohl selbst nicht! Nein, Tom hatte jetzt erst richtig Blut geleckt, das war alles, was dabei herauskam. Als wir von unserer großen Fahrt heimkehrten, in Glanz und Gloria, wie man so sagt, da machten sie für uns einen Fackelzug durchs Dorf und schwangen feierliche Reden, und alle brüllten hurra; wir waren jetzt richtige Helden, und davon hatte Tom schon immer geträumt.

Eine Zeitlang war er tatsächlich zufrieden. Alle machten großes Trara um ihn, und er trug seine Nase mächtig hoch und stolzierte wie ein Pfau durchs Dorf, als hätte er es gepachtet. Manche nannten ihn Tom Sawyer den Weltreisenden, und da warf er sich natürlich gewaltig in die Brust. Wißt ihr, er rangierte ziemlich über mir und Jim, weil wir nur auf einem Floß den

Mississippi hinunterfuhren und mit dem Dampfer wieder hinauf, aber Tom fuhr beide Strecken mit dem Dampfer. Unsere Freunde waren ganz schön neidisch auf Jim und mich, aber — Junge, Junge! — vor Tom rutschten sie beinah auf den Knien.

Ich weiß ja nicht — aber vielleicht hätte er sich zufrieden gegeben, wenn da nicht die Sache mit dem alten Parson gewesen wäre. Nat Parson war unser Postmeister, ein ellenlanger, spindeldürrer Kerl mit einer Glatze, dabei recht harmlos und so ziemlich der geschwätzigste alte Trottel, der mir je über den Weg gelaufen ist. Seit geschlagenen dreißig Jahren war er der einzige berühmte Mann im Dorf — berühmt als großer Reisender, meine ich. Natürlich war er verdammt stolz drauf. In diesen dreißig Jahren hat er schätzungsweise hunderttausendmal von seiner Reise erzählt, und jedesmal hatte er den größten Spaß dabei. Und jetzt kam da so ein naseweiser Bengel daher, noch nicht mal fünfzehn, und alle sperrten bei seiner Geschichte Mund und Nase auf. Der Alte war natürlich wie von der Tarantel gebissen. Es machte ihn ganz krank, wenn Tom erzählte und die Leute riefen „Was du nicht sagst!" — „Ist das die Möglichkeit!" — „Das kann doch nicht wahr sein!" und solche Sachen. Aber er mußte einfach zuhören, er konnte sich nicht losreißen — wie eine Fliege, die mit dem linken Hinterbein im Sirup klebt.

Jedesmal, wenn Tom Luft holte, kam Nat Parson mit seiner alten Geschichte daher. Er legte sich mächtig ins Zeug und holte aus ihr heraus, was herauszuholen war; aber sie war schon ziemlich abgestanden und verschimmelt. Er konnte einem richtig leid tun, der arme Kerl. Nachher kam Tom wieder an die Reihe, und dann wieder der Alte, und so weiter und so fort; stundenlang ging das so, und jeder wollte den anderen ausstechen.

Die Geschichte mit Parsons Reise ging so: Er war gerade Postmeister geworden — blutiger Anfänger, versteht sich. Da kam eines schönen Tages ein Brief für jemand, den er nicht kannte, und überhaupt gab's im ganzen Dorf keinen, der so hieß. Er hatte keinen blassen Schimmer, was er mit dem Brief anfangen sollte, und so ließ er ihn wochenlang herumliegen, bis er schon das kalte Grausen kriegte, wenn er nur daran dachte. Porto war auch keins drauf, und da saß er natürlich erst recht in der Tinte. Denn er hatte keine Ahnung, wie er es kassieren sollte, und außerdem hatte er Angst, die Regierung könne ihn rausschmeißen, wenn sie die Sache spitzkriegte. Kurz und gut: er hielt es einfach nicht mehr länger aus. Nachts machte er kein Auge zu, und wenn das saftigste Fleisch auf dem Tisch stand, brachte er keinen Bissen hinunter. Wie ein Gespenst schlich er durch die Gegend, aber er fragte niemand, was er tun sollte; er traute nämlich keinem Menschen mehr und fürchtete, man würde ihn bei der Regierung verpfeifen. Zuletzt verscharrte er den Brief in der Erde, doch das nützte ihm gar nichts; wenn jemand zufällig auf der Stelle stand, lief es ihm eiskalt den Buckel herunter, und er dachte gleich weiß der Teufel was. Er blieb die ganze Nacht wach, bis alles totenstill war; dann schlich er sich zu dem Versteck, grub den Brief aus und verscharrte ihn woanders. Die Leute wunderten sich natürlich, warum er in letzter Zeit so komisch war; es dauerte nicht lange, und sie gingen ihm aus dem Weg, steckten die Köpfe zusammen und erzählten sich die tollsten Schauermärchen. Wenn man ihn jetzt so sah, konnte man auch wirklich denken, er habe jemand um die Ecke gebracht oder sonst etwas Furchtbares angestellt. Wäre er keiner aus dem Dorf gewesen, sie hätten ihn am nächsten Baum aufgeknüpft.

Also, wie ich schon sagte: er hielt es schließlich einfach nicht mehr aus. Er glaubte platzen zu müssen, wenn er nicht bald reinen Tisch machte. So kam er auf die verrückte Idee, nach Washington zu fahren, um dort den Präsidenten der Vereinigten Staaten zu sprechen. Alles wollte er haarklein erzählen, und zum Schluß würde er den Brief herausziehen und ihn der versammelten Regierung unter die Nase halten. „So, meine Herren", würde er sagen, „hier ist er! Verfahrt mit mir nach Belieben. Doch meine Seele ist rein, und Gott ist mein Zeuge; ich verdiene nicht, daß mich die ganze Härte des Gesetzes trifft. Ich hinterlasse eine Familie, die Hungers sterben wird, obwohl sie nicht das geringste damit zu tun hatte. Das ist die reine Wahrheit und nichts als die Wahrheit, so wahr mir Gott helfe."

Und ob ihr's glaubt oder nicht, der Bursche fuhr tatsächlich nach Washington. Erst mit dem Dampfer, dann mit der Kutsche, aber die größte Strecke ritt er auf alten Kleppern, und so brauchte er drei Wochen, bis er am Ziel war. Er sah eine ganze Menge von der Welt: massenhaft Wiesen und Felder, viele Dörfer und sogar vier Städte. Fast acht Wochen war er fort, und als er wieder heimkam, platzte er fast aus den Nähten vor Stolz. Er war jetzt die größte Berühmtheit der ganzen Gegend, die Leute redeten nur noch von ihm, Nat Parson hinten und Nat Parson vorne. Von dreißig Meilen kamen sie angereist, nur um ihn einmal zu sehen. Da standen sie nun und sperrten Mund und Nase auf, und Nat Parson legte los und erzählte und erzählte — so was hat die Welt noch nicht erlebt.

Jetzt konnte man sich überhaupt nicht einigen, wer von beiden der größere Weltreisende war, Tom Sawyer oder Nat Parson. Manche sagten, Nat, andere meinten, Tom. Wenn man die Längengrade zählte, lag Nat weit an der Spitze; aber was Tom an Länge fehlte, machte er durch die Breite wett, und er hatte auch ein ganz anderes Klima erlebt.

So lagen beide etwa gleich im Rennen, und jeder machte natürlich einen mächtigen Rummel um seine gefährlichen Abenteuer, weil er dachte, er könnte vielleicht einen Vorsprung herausschinden. Die Wunde in Toms Bein machte Nat Parson schwer zu schaffen. Tom dachte nicht daran, stillzusitzen, damit sie besser heilte — im Gegenteil. Wenn Nat mitten im Erzählen war, sprang Tom plötzlich auf und begann herumzuhinken. Er ließ das Hinken auch nicht, als sein Bein wieder in Ordnung war; nächtelang übte er zu Hause, damit es immer noch echt aussah.

Aber ich muß euch noch Nats Abenteuer in Washington erzählen. Ich glaube zwar, er hat's erfunden oder in der Zeitung gelesen, aber das eine muß ich ihm lassen: erzählen konnte er. Alle kriegten eine Gänsehaut dabei, und Nat selbst wurde kreidebleich im Gesicht. Wenn's spannend wurde, hielt er den Atem an; die Frauen fielen dann fast in Ohnmacht und die Kinder auch. Also, hier ist seine Geschichte:

Er kam im Galopp nach Washington, schwang sich aus dem Sattel und sauste mit seinem Brief zum Haus des Präsidenten. Aber dort sagten sie ihm, der Präsident sei im Kapitol und würde gleich nach Philadelphia fahren. Keine Minute war zu verlieren, wenn er ihn noch erwischen wollte. Nat dachte, ihn trifft der Schlag. Sein Pferd war im Stall, zu Fuß würde er's nie schaffen — was zum Teufel sollte er bloß machen? Gerade in dem Augenblick kam ein Nigger mit einer uralten Pferdedroschke dahergeholpert. Nat sah sofort seine Chance; er rannte dem Nigger entgegen und brüllte: „Ein halber Dollar für dich, wenn du mich in einer halben Stunde zum Kapitol bringst, und noch ein Vierteldollar extra, wenn du es in zwanzig Minuten schaffst!"

„Gemacht!" sagte der Nigger.

Nat sprang auf und knallte die Tür zu, und schon rumpelten sie in Windeseile über die holprigsten Straßen, die ein Mensch je gesehen hat. Ein Höllenlärm war das! Nat klammerte sich krampfhaft an die Halteriemen, und dort hing er auf Leben und Tod. Aber plötzlich fuhren sie gegen einen Stein, die Droschke segelte durch die Luft, der Boden brach durch, und als sie landeten, schleiften Nats Füße auf der Erde. Die Haare standen ihm zu Berge; denn wenn er mit der Droschke nicht Schritt halten konnte, hatte sein letztes Stündlein geschlagen. Verzweifelt hielt er sich an den Riemen fest, seine Beine flogen nur so dahin. Er zeterte und tobte und schrie aus Leibeskräften „Halt!", und auch die Leute auf der Straße schrien „Halt!", denn alle sahen, daß seine Füße auf der Straße schleiften, daß sein Kopf im Innern herumpolterte und er in schrecklicher Gefahr war. Doch je mehr die Leute lärmten, desto mächtiger legte sich der Nigger ins Zeug; er hieb wie wahnsinnig auf die Pferde ein und schrie aus Leibeskräften: „Keine Angst, Herr, wir schaffen's! Ich schaff's, bei Gott!" Der Gute dachte nämlich, sie wollten ihm nur Beine machen; und weil er ein solches Spektakel vollführte, verstand er natürlich kein Wort. So rasten sie wie der Teufel dahin, und alle Leute blieben auf der Straße stehen und waren ganz verdattert. Aber der Nigger hatte nicht zuviel versprochen: Sie schafften es wirklich, und als sie vor dem Kapitol hielten, rannten von allen Richtungen die Leute herbei, und alle sagten, das war die schnellste Fahrt, die je ein Mensch gemacht hat. Die Pferde ruhten sich aus, und Nat sank auf der Stelle um, so fertig war er. Dann hoben sie ihn auf; er war voller Dreck und Staub, seine Kleider hingen in Fetzen herunter, von seinen Schuhen war nichts mehr übrig — aber er hatte es geschafft, gerade noch zur rechten

Zeit. Und so stolperte er zum Präsidenten und gab ihm den Brief, und alles war in Butter. Der Präsident begnadigte ihn auf der Stelle, und Nat gab dem Nigger zwei Vierteldollar extra anstatt einem; denn er wußte ganz genau, was er ihm verdankte.

Ja, das war schon ein unheimlich gutes Abenteuer, und Tom mußte viel Wind um seine Wunde machen, um dagegen anzukommen.

Doch so sehr sich Tom auch anstrengte, mit der Zeit begann sein Ruhm doch zu verblassen. Die Leute hatten jetzt über andere Sachen zu reden: Erst gab's ein Pferderennen, dann brannte ein Haus, dann kam ein Zirkus, dann eine Sonnenfinsternis; und wie immer bei einer Sonnenfinsternis behaupteten plötzlich ein paar Verrückte, die Welt geht unter, und die Leute müssen alle auf einen Berg und beten. Nach Tom krähte kein Hahn mehr, und das war ein harter Schlag für ihn. Er sah jetzt immer ganz belämmert drein, und als ich ihn fragte, warum, sagte er, es bricht ihm fast das Herz, wenn er daran denkt, wie die Zeit vergeht und er älter und älter wird, aber nicht berühmt; nirgends gab es Krieg, und er wußte auch sonst nicht, wie er sich einen Namen machen sollte. Das denken die Jungen immer, aber er war der erste, den ich davon reden hörte.

Dann versuchte er einen Plan auszuknobeln, wie er berühmt werden könnte. Bald hatte er auch eine Idee, und er sagte zu mir und Jim, wir könnten mitmachen. Bei solchen Sachen war Tom immer sehr großzügig. Eine Menge Jungen sind furchtbar nett zu dir, wenn du etwas Tolles hast; aber wenn sie was Tolles haben, verraten sie dir kein Sterbenswörtlein und wollen alles für sich allein. So einer war Tom nie, das muß man ihm lassen. Wenn du einen schönen, saftigen Pfirsich hast, wimmeln viele Jungen um dich herum und wollen mal beißen; aber wenn sie einen haben, denken sie nicht mehr daran. Sie beißen von deinem Pfirsich und sagen dankeschön, aber ihren essen sie alleine.

Aber ich wollte von Toms Plan erzählen. Wir gingen in den Wald auf den Hügel, und Tom verriet uns seine Idee: Er wollte einen Kreuzzug machen.

„Was ist ein Kreuzzug? " fragte ich.

Er sah mich finster an, wie immer, wenn er sich für jemand schämte, und sagte: „Soll das heißen, du weißt nicht, was ein Kreuzzug ist? "

„Nein", sagte ich, „ich weiß es nicht, und das ist mir auch völlig wurst. Ich bin bisher ohne einen Kreuzzug ausgekommen, aber sobald du mir's sagst, weiß ich's, und das ist früh genug. Ich seh überhaupt nicht ein, wozu ich mir den Kopf mit Dingen vollstopfen soll, die mir doch nichts nützen. Ich kannte mal jemand, Lance Williams, der lernte die Sprache der Sioux, und dann traf er nie in seinem Leben einen Indianer, bis einer kam und ihm das Grab schaufelte. Also, was ist ein Kreuzzug? Aber das eine sag ich dir gleich: Wenn es was mit einem Patent zu tun hat, dann ist nichts drin. Ein Patent – "

„Ein Patent!" rief Tom. „Seht euch diesen Idioten an! Ein Kreuzzug ist so was Ähnliches wie ein Krieg, du Dummkopf."

Ein Krieg! Ich dachte, er hätte den Verstand verloren. Aber nein, es war ihm völlig ernst, und er redete seelenruhig weiter.

„Ein Kreuzzug ist ein Krieg, um das Heilige Land von den Ungläubigen zu befreien."

„Welches heilige Land? "

„*Das* Heilige Land natürlich — es gibt nur eins."

„Und was wollen *wir* dort? "

„Sag mal, bist du so schwer von Begriff? Es ist in den Händen der Ungläubigen, und wir haben die Pflicht, es ihnen wegzunehmen."

„Wieso haben wir sie überhaupt dort reingelassen? "

„Wir haben sie nicht reingelassen. Sie waren immer schon da."

„Ja, aber — dann gehört es doch ihnen, oder? "

„Natürlich. Hab ich vielleicht was anderes behauptet? "

Ich ließ mir die Sache durch den Kopf gehen, aber ich kam beim besten Willen nicht klar.

„Das ist mir zu hoch, Tom", sagte ich. „Wenn ich eine Farm habe, und sie gehört mir, und jemand will sie mir wegnehmen — ja, bin ich dann nicht im Recht, wenn — "

„Ach, halt die Klappe! Wie kann man nur so dumm sein! Das Heilige Land ist keine Farm, es ist — also, die Sache ist die: Sie besitzen das Land, einfach nur das Land, das ist alles; aber wir, Juden und Christen, wir haben es zum Heiligen Land gemacht. Also dürfen sie es nicht entweihen. Es ist eine Schande, und wir sollten das keine Sekunde länger dulden. Wir sollten sie aufs Haupt schlagen und es ihnen wegnehmen."

„Jetzt komm ich überhaupt nicht mehr mit. Wenn ich eine Farm habe, und — "

„Zum Teufel, hab ich dir nicht gesagt, daß es überhaupt nichts mit einer Farm zu tun hat? Wenn man eine Farm hat, baut man Gemüse an und verkauft es auf dem Markt; das ist ein Geschäft, nichts als ein ganz gewöhnliches Geschäft; aber das Heilige Land, das ist was Höheres, das ist — also, es ist einfach die Pflicht eines Christen — "

„Ist es die Pflicht eines Christen, den Leuten das Land wegzunehmen, das ihnen gehört? "

„Aber sicher. Das war schon immer so. "

Jetzt schüttelte Jim seinen Wuschelkopf und meinte: „Herr Tom, ich glauben, das nix stimmen. Ich selbst an Gott glauben, und ich viel Leute kennen, wo an Gott glauben, aber niemand nix so was tun. "

Da wurde Tom wütend und schrie: „Ihr macht mich noch ganz krank, ihr Maulesel! Wenn ihr nur den blassesten Schimmer von Geschichte hättet, würdet ihr

nicht so dumm daherreden. Richard Tigerherz und der
Papst und Gottfried der Bulle haben zweihundert
Jahre lang wie die Wilden auf die Ungläubigen einge-
droschen; bis zu den Knien wateten sie im Blut. Und
jetzt kommen zwei schwachsinnige Dorftrottel daher
und wollen mehr über Recht und Unrecht wissen als
diese Männer — da hört sich doch alles auf!"

Jetzt hatte er's uns aber gegeben! Ich und Jim, wir
kamen uns ziemlich naseweis und dumm vor, und wir
wünschten, wir hätten keine solche Lippe riskiert. Ich
brachte kein Wort mehr heraus, und auch Jim blieb
eine Weile die Spucke weg; aber dann sagte er: „Also
gut, dann alles okay; wenn die nix besser wissen, dann
wir müssen nix besser wissen. Und wenn das sein
unsere Pflicht, dann wir müssen gehen und ihnen
Schädel einschlagen. Aber sie mir viel leid tun, diese
Unhäutige. Oh, wie schlimm! Müssen Leute totschlagen, wo wir nix kennen und wo uns nix tun. Ja,
viel schlimm, verstehen? Wenn wir gehen zu ihnen
und sagen, wir haben Hunger, haben Sie Stück Brot,
dann sie sein vielleicht wie andere Leute. Sie nix
glauben? Also, sie geben uns Stück Brot, bestimmt,
und dann — "

„Was dann? "

„Also, Herr Tom, ich denken, es haben keine
Zweck, wir nix können einfach totschlagen diese
Fremde, wo uns nix tun. Zuerst wir müssen bißchen
üben — ich das wissen, ganz genau ich das wissen. Also,
wir warten bis Nacht, dann holen Axt und fahren über
die Fluß und gehen zu die kranke Familie, wo dort
wohnen, schlagen sie tot und zünden Haus an
und — "

„Um Himmels willen, hör auf!" rief Tom. „Du machst mich ganz krank. Ich will mich nicht länger mit solchen Schafsköpfen streiten, die immer vom Thema abschweifen wie du und Huck. Ihr habt kein bißchen Grips im Kopf. Ständig faselt ihr von Farmen und kranken Familien, und dabei ist das alles reine Teleologie!"

Das war aber nicht anständig von Tom. Jim hatte es nicht böse gemeint und ich auch nicht. Wir wußten ganz genau, daß er recht hatte und wir nicht, und wir wollten nur herausfinden, wie die Sache funktionierte, das war alles; daß wir nicht begriffen, daran war nur unsere Dummheit schuld. Ja, wir waren einfach schwer von Begriff, das will ich gar nicht abstreiten; aber weiß der Kuckuck, das ist doch noch lange kein Verbrechen, oder?

Tom wollte jetzt kein Wort mehr davon hören. Er sagte nur, wenn wir uns nicht so ungeschickt angestellt hätten, hätte er ein paar tausend Ritter zusammengetrommelt und sie in glänzende Rüstungen gesteckt; mich hätte er zum Leutnant ernannt umd Jim zum Markeständler; und er selbst hätte das Kommando übernommen und die ganze Bande der Ungläubigen ins Meer getrieben, und dann wären wir in Glanz und Gloria heimgekehrt. Aber wir seien ja zu blöd, um zu begreifen, was für eine tolle Chance er uns da geboten hatte; jetzt sei die Sache für ihn erledigt. Und wenn Tom mal so was sagte, dann blieb er auch dabei.

Mir machte das aber nicht viel aus. Ich bin ein friedlicher Bursche und fang nicht mit Leuten Streit an, die mir nichts getan haben. Und wenn die Ungläubigen auch so dachten, dann sollte mir's recht sein.

Schließlich fand ich heraus, daß Tom diese ganze verrückte Idee aus den Büchern von Walter Scott hatte, in denen er immer las. Und eine verrückte Idee war's auf jeden Fall, denn er hätte nie im Leben die vielen Ritter aufgetrieben; und selbst dann hätte er garantiert Dresche bezogen. Ich nahm mir die Bücher vor und las alles darüber; und ich dachte mir, wenn einer seine Farm im Stich läßt und bei einem Kreuzzug mitmacht, geht's ihm wahrscheinlich ziemlich dreckig.

2

Der Kreuzzug war also ins Wasser gefallen, aber Tom hatte natürlich noch eine Menge andere Ideen. Nur hatten alle einen schwachen Punkt, und so ging's ihnen wie dem Kreuzzug. Es war zum Heulen. Doch bald gab's wieder was zu reden: Irgendein verrückter Kerl hatte einen Ballon gebastelt und wollte damit nach Europa fliegen. Die Zeitungen von St. Louis schmierten natürlich ganze Seiten darüber voll, und Tom überlegte sich, ob er sich die Sache mal ansehen sollte; aber eigentlich hatte er keine rechte Lust. Doch die Zeitungen konnten nicht genug davon kriegen, und so sagte er sich, die Chance kommt vielleicht nie wieder, daß ich einen richtigen Ballon sehe. Und als er dann noch herausbekam, daß sich Nat Parson den Ballon nicht entgehen lassen wollte, war er natürlich nicht mehr zu halten; er hätte es nicht überlebt, wenn Nat Parson später damit angegeben hätte. Also zogen wir los.

Es war ein schöner großer Ballon, überall flatterten Fähnchen und Bänder, und überhaupt sah er ganz anders aus als die Ballons, die man auf den Bildern gesehen hatte. Er stand draußen vor dem Dorf, mitten auf dem Feld, und unheimlich viele Leute waren da und gafften ihn an. Sie rissen aber alle Witze über ihn und besonders über den dürren, blassen Kerl, der daneben stand — das war der Professor, und er hatte den Ballon erfunden. Er sah aus, als ob er träumte, und hatte Glupschaugen wie ein Mondkalb. Alle sagten, der Ballon würde nie im Leben fliegen; da kriegte er aber eine Mordswut und schüttelte die Faust und brüllte, sie sollten ihre Augen aufsperren; doch sie seien ja blind, und überhaupt seien sie völlige Hornochsen. Aber er würde es ihnen schon noch zeigen, und eines Tages würden sie wissen, mit wem sie da Auge in Auge gestanden hätten. Denn er sei einer der Männer, welche den Ruhm der Nationen mehrten und die Zivilisation zur höchsten Blüte führten; sie wären nur zu blöd, um das zu merken. Und auf der Stelle, wo er jetzt stand, würden ihm ihre eigenen Kinder und Enkel ein Denkmal errichten; das Denkmal würde tausend Jahre überdauern, aber sein Name würde das Denkmal überdauern. Da brüllten alle vor Lachen und riefen ihm alle möglichen Sachen zu; sie fragten ihn, wie er vor seiner Hochzeit geheißen habe und was sie ihm bieten müßten, damit er sich's anders überlege, und wie die Großmutter der Katze seiner Schwester geheißen habe — und lauter solches Zeug, was eben die Leute einem zurufen, den sie piesacken wollen. Sie sagten ganz lustige Sachen, das geb ich zu, aber trotzdem war es nicht anständig und schon gar nicht mutig, daß sie alle auf dem armen Kerl herumhackten; sie waren so schlagfertig und witzig, und er tobte nur hilflos herum. Wie hätte er's ihnen auch heimzahlen können? Auch wenn er der beste Redner gewesen wäre, hätte ihm das einen feuchten Kehricht genützt; für die Leute war das alles nur eine große Gaudi, und zum Schluß hatten sie ihn genau da, wo sie ihn haben wollten. Aber so war es eben. Ich glaube, er konnte nichts dafür. Eigentlich war er ein ganz anständiger Kerl; er war halt ein Genie, wie die Zeitungen schrieben, und dafür konnte er ja nun wirklich nichts. Wir sind nun mal nicht alle normal, damit müssen wir uns abfinden. Soweit ich mich mit Genies auskenne, denken sie, sie wüßten alles, und hören nicht darauf, was andere Leute sagen; sie wollen immer ihren Dickschädel durchsetzen, und die Leute gehen ihnen aus dem Weg und halten sie für Idioten; das ist ganz natürlich. Wären sie ein bißchen bescheidener und würden sie ihre Klappe nicht so weit aufreißen, wären sie besser dran.

Der Teil des Ballons, in dem der Professor stand, sah aus wie ein großes Segelschiff. Innen waren wasserdichte Kästen mit allem möglichen Zeug drin, und auf den Kästen konnte man sitzen und sogar schlafen. Wir gingen an Bord; schon etwa zwanzig Leute waren da und schnüffelten überall herum, und der alte Parson war natürlich mitten darunter. Der Professor fummelte an den Hebeln herum und machte alles startklar; die Leute stiegen nacheinander aus, und Nat war der letzte. Es war natürlich ausgeschlossen, daß er nach uns ausstieg; wir rührten uns nicht von der Stelle, bis er draußen war, damit wir selbst die letzten sein konnten.

Aber jetzt war er draußen, und nun wurde es auch
für uns Zeit. Doch da hörte ich einen Schrei. Erstaunt
drehte ich mich um, und dann sah ich hinaus — das
Dorf versank rasend schnell unter uns. Mir wurde ganz
übel vor Angst. Jim war weiß wie eine Wand und
brachte kein Wort heraus, und auch Tom sagte nichts
und sah nur aufgeregt herum. Das Dorf sank immer
tiefer, immer tiefer, obwohl mir's so vorkam, als
stünde der Ballon in der Luft still. Die Häuser wurden
immer kleiner, das Dorf schrumpfte immer mehr zusammen, die Menschen und Wagen sahen aus wie Käfer
und Ameisen, die auf der Erde krabbelten, die Straßen
schlängelten sich wie Bindfäden zwischen den Häusern
durch. Dann war das Dorf plötzlich verschwunden, nur
ein großer Fleck blieb auf der Erde zurück. Ich dachte,
man könnte tausend Meilen weit sehen, aber soviel
waren's natürlich nicht. Bald merkte man auch, daß
die Erde rund war — sie war einfach eine runde Kugel,

ziemlich trüb, mit ein paar leuchtenden Streifen: das waren die Flüsse. Ich dachte an die Witwe Douglas; sie hatte mir immer erzählt, daß die Erde rund wie eine Kugel sei. Aber ich hatte mich nie um ihr abergläubisches Gefasel geschert, und außerdem konnte ich selbst sehen, daß die Erde flach wie ein Pfannkuchen war. Ich ging immer auf den Hügel und guckte in die Runde, weil ich mir sage, wenn man etwas genau wissen will, dann sieht man am besten selbst nach und kümmert sich nicht um das Geschwätz der anderen. Aber jetzt mußte ich zugeben, daß die Witwe Douglas recht hatte. Das heißt, sie hatte mit der übrigen Welt recht; aber dort, wo unser Dorf steht, ist die Erde so flach wie ein Pfannkuchen, darauf könnte ich schwören!

Wir schnatterten alle ein bißchen; es war nämlich ziemlich kühl hier oben. Aber wir redeten nichts miteinander, so verdattert waren wir. Auch der Professor gab eine ganze Zeitlang keinen Mucks von sich, und man konnte meinen, er sei eingeschlafen; aber dann machte er plötzlich den Mund auf, und ein ganzer Schwall von Worten brach aus ihm heraus. Er schimpfte und fluchte wie der Teufel.

„Idioten!" brüllte er. „Sie sagten, er würde nie im Leben fliegen; und sie schnüffelten und spionierten überall herum und wollten mir das Geheimnis entlocken. Ha! Keiner kennt das Geheimnis außer mir; niemand weiß, wieso er fliegt, nur ich. Jetzt kann ich's ihnen heimzahlen! Ich habe eine neue Macht, tausendmal stärker als alles andere auf der Welt! Sie sagten, ich würde nie nach Europa kommen. Daß ich nicht lache! Ich habe Sprit für fünf Jahre an Bord und

Lebensmittel für drei Monate. Diese Hornochsen! Was wissen sie schon. Ja, und sie behaupteten, mein Ballon sei zu leicht gebaut. Bah! Er hält fünfzig Jahre, so stabil ist er! Ich kann mein ganzes Leben durch die Lüfte gondeln, so lange ich will und wohin ich will, und wenn sie noch so über mich lachen. Sollen sie ruhig meinen, es ginge nicht! Komm her, mein Junge, wir werden schon sehen. Drück hier auf die Knöpfe, wie ich dir's sage."

Er ließ Tom überall hinsteuern, und er brachte ihm im Handumdrehen die ganze Steuerung bei; und Tom sagte, es sei kinderleicht. Bald konnte er sogar ein paar Kunststückchen. Er schoß in einem Höllentempo nach unten und flog ganz dicht über die Prärie von Illinois; man verstand jedes Wort, das die Bauern sagten, und der Professor warf ihnen Flugblätter zu, auf denen stand, daß der Ballon nach Europa fliegen werde. Dann flog Tom direkt auf einen Baum zu, und als ich schon dachte, es bumst, riß er das Steuer blitzschnell hoch, und wir zischten über den Wipfel hinweg. Dann zeigte der Professor, wie man den Ballon landete, und auch das machte Tom erstklassig. Wir landeten so sanft wie auf Watte. Aber als wir gerade herausklettern wollten, brüllte der Professor „Nein!" und jagte den Ballon wieder in die Luft. Es war fürchterlich. Ich verlegte mich aufs Betteln, und Jim bettelte auch; aber das machte den Professor nur wütend, und er begann schrecklich zu toben und glotzte uns an, als wollte er uns auffressen. Es lief mir eiskalt den Buckel herunter.

Er war jetzt wieder ganz mies aufgelegt; er ächzte und stöhnte und jammerte, wie schlecht man ihn behandelte. Er kam einfach nicht drüber hinweg, daß ihn

die Leute ausgelacht hatten. „Sie glauben, er gehe kaputt. Ha! Bevor mein Ballon kaputtgeht, geht das Sonnensystem kaputt!"

Es wurde immer schlimmer mit ihm; noch nie hab ich einen Menschen so fluchen gehört. Mir kam das kalte Grausen, wenn ich ihn nur ansah, und Jim ging's genauso. Schließlich tobte und brüllte er in einem fort, und dann schwor er, die Welt solle nie sein Geheimnis erfahren, weil sie ihn so gemein behandelt habe. Er schrie, er würde mit dem Ballon um die ganze Erde segeln, nur um's ihnen zu zeigen, und dann würde er ihn ins Meer versenken und uns mit. Da hatten wir uns was Schönes eingebrockt! Und jetzt wurde es auch noch Nacht.

Er gab uns was zu essen und jagte uns in die andere Ecke des Ballons. Dann legte er sich auf einen Kasten, von dem aus er alles kommandieren konnte, und schob seinen alten Revolver unter den Kopf. Er sagte, wenn jemand von uns auf die blödsinnige Idee kommen sollte, den Ballon zu landen, würde er ihn abknallen.

Wir hockten ganz verdattert da und dachten eine Menge nach, machten aber kaum den Mund auf — so eingeschüchtert waren wir. Die Nacht kroch träge dahin; ich fühlte mich schrecklich einsam. Wir waren nicht sehr hoch über der Erde, und im Mondschein sah alles sanft und friedlich aus. In den Bauernhäusern saß man jetzt sicher gemütlich am Ofen, und wir wünschten, wir könnten dort unten sein — aber wir huschten nur darüber hinweg, wie ein Schatten.

Es wurde spät und immer später. Als es von einem fernen Kirchturm Mitternacht schlug, waren wir immer noch hellwach; vielleicht um zwei Uhr morgens flüsterte Tom mir plötzlich zu: ,,He, Huck und Jim, hört ihr? Der Professor ist so still, ich glaube, er ist eingeschlafen. Wir sollten — ''

,,Was? '' wisperte ich zurück, und mir wurde ganz übel dabei; denn ich konnte mir schon denken, was er im Schild führte.

,,Wir sollten zu ihm rüberschleichen und ihn fesseln. Dann könnten wir landen.''

,,Nein, um Himmels willen'', stieß ich hervor, ,,das läßt du ganz schön bleiben!''

Jim keuchte vor Angst, der arme Kerl. Er flüsterte: ,,Oh nein, Herr Tom, nein. Sie nix schleichen. Wenn es machen bums, dann alles aus. Nein, nix schleichen; er sein ganz verrückt!''

,,Gerade deshalb müssen wir was unternehmen. Wär er nicht verrückt, brächten mich keine zehn Pferde von hier weg — jetzt, wo ich an den Ballon gewöhnt bin. Ja, wenn der Professor noch alle Tassen im Schrank hätte! Aber ich gondle nicht gern mit einem Verrückten durch die Lüfte, der um die Welt fliegen und uns zum Schluß alle ersäufen will. Wir müssen einfach was tun, das sag ich euch, und zwar bevor er aufwacht — die Chance kommt vielleicht nie wieder. Also!"

Aber wir kriegten schon den Schüttelfrost, wenn wir nur daran dachten, und wir sagten, wir würden uns nicht von der Stelle rühren. Also wollte Tom allein hinschleichen und versuchen, ans Steuer zu kommen und den Ballon zu landen. Wir flehten ihn an, daß er's bleiben lassen solle, aber Tom war natürlich nicht umzustimmen. Er ließ sich auf die Knie nieder und robbte ganz langsam zu dem Professor hinüber, Zentimeter um Zentimeter. Wir hielten den Atem an und starrten ihm gebannt nach. Als er die Hälfte geschafft hatte, kroch er noch vorsichtiger weiter; mir kam's so vor, als würde er bei einem solchen Tempo noch Jahre brauchen.

Aber nach einer halben Ewigkeit war er endlich neben dem Kopf des Professors, langsam richtete er sich etwas auf, sah dem Professor eine ganze Weile ins Gesicht und lauschte. Dann robbte er mucksmäuschenstill zu den Beinen des Professors, wo das Steuer war. Endlich hatte er es geschafft; schon hob er die Hand nach den Knöpfen, da stieß er plötzlich etwas um; wir hörten es rumpeln. Tom warf sich flach auf den Boden und blieb regungslos liegen. Der Professor zuckte ein bißchen und wälzte sich auf die andere Seite, dann murmelte er ein verschlafenes „Was'n los?". Wir sagten natürlich keinen Pieps und rührten uns nicht von der Stelle, aber der Professor begann herumzunesteln und warf sich hin und her wie einer, der nicht recht weiß, ob er aufwachen soll oder nicht. Ich dachte, mich trifft der Schlag.

Da schob sich eine Wolke vor den Mond — ich hätte beinah hurra gebrüllt. Es wurde stockfinster, und wir sahen überhaupt nichts mehr. Dann fielen ein paar Tropfen, und wir hörten den Professor an seinem Zeug herumfummeln und auf das Wetter fluchen. Wir hatten schreckliche Angst, er würde in der nächsten Sekunde bei Tom anstoßen, und dann gute Nacht!

Plötzlich fühlte ich eine Hand an meinem Knie. Das Herz blieb mir fast stehen, denn in der Dunkelheit sah ich nicht, wer es war — ich dachte, es sei der Professor. „Huck, bist du's?" flüsterte es da neben mir. Gott sei Dank, es war Tom.

Junge, Junge — war ich vielleicht froh, daß er wieder da war! Ich war so glücklich, wie man es nur sein kann, wenn man mit einem Verrückten durch die Luft gondelt. In stockfinsterer Nacht kann man keinen Ballon landen, und ich hoffte, es würde wie mit Kübeln schütten; denn ich wollte nicht, daß Tom nochmal Dummheiten machte und uns wieder in eine so verzwickte Lage brachte. Und mein Wunsch ging in Erfüllung. Es regnete die ganze Nacht, die gar nicht lang dauerte, obwohl es uns so vorkam; und als es dämmerte, klärte sich der Himmel auf. Die Welt war schön so in der Morgendämmerung, ein bißchen grau und wie von einem Schleier bedeckt; und es tat gut, die Wälder und Felder wiederzusehen und die Pferde und das Vieh, das nachdenklich auf der Weide stand. Dann kamen die ersten Sonnenstrahlen, und wir streckten uns und gähnten, und ehe wir's uns versahen, waren wir fest eingeschlafen.

3

Es muß etwa vier gewesen sein, als wir einschliefen, und gegen acht wachten wir wieder auf. Der Professor hockte finster in seiner Ecke. Er warf uns ein paar Brocken zum Frühstück vor, aber er ließ uns nicht an sich herankommen. Wenn man Kohldampf hat und tüchtig spachtelt, sieht die Welt gleich wieder ganz anders aus. Man fühlt sich dann richtig satt und zufrieden, auch wenn man mit einem Genie in einem Ballon sitzt.

Wir redeten über dieses und jenes. Da war eine Sache, die mir Kopfzerbrechen machte, und ich fragte Tom: „Sind wir nicht nach Osten geflogen? "

„Ja."

„Und wie schnell sind wir geflogen? "

„Du hast doch gehört, was der Professor brüllte. Manchmal fliegen wir mit fünfzig Meilen in der Stunde, manchmal mit neunzig, manchmal mit hundert; und wenn wir einen Sturm erwischen, sagt er, schaffen wir jederzeit dreihundert Meilen; und wenn wir einen Sturm brauchen, sagt er, der in unsere Richtung weht, müssen wir höher oder tiefer gehen, bis wir einen gefunden haben."

„Hab ich mir's doch gleich gedacht — der Professor hat geschwindelt."

„Warum denn das? "

„Ja, wenn wir so schnell geflogen wären, hätten wir doch Illinois längst hinter uns, stimmt's? "

„Sicher, aber — "

„Also, und wir sind noch immer in Illinois."

„So, und woran siehst du das? "

„Ich seh's an der Farbe. Wir sind jetzt grade über Illinois. Und Indiana ist noch lange nicht in Sicht, das siehst du selbst."

„Was ist denn in dich gefahren, Huck? Du siehst das an der Farbe? "

„Ja, natürlich."

„Und was hat die Farbe damit zu tun? "

„'ne ganze Menge. Illinois ist grün, Indiana ist rosa. Na, siehst du vielleicht irgendwo einen Schimmer rosa? Ich nicht. Alles ist grasgrün."

„Indiana ist rosa? Sag mal, spinnst du? "

„Ich spinne nicht. Ich hab auf der Landkarte nachgeguckt, und dort ist Indiana rosa."

Da kriegte Tom eine fürchterliche Wut. „Ich würde mich schämen, wenn ich so ein Hornochse wäre!" brüllte er. „Dieser Idiot hat auf der Karte nachgeguckt. Glaubst du im Ernst, daß die Staaten die gleiche Farbe haben wie auf der Karte? "

„Wozu ist denn eine Karte da? Ist sie nicht dazu da, daß man was von der Erde lernt? "

„Natürlich, aber du — "

„Also, wie kommt es dann, daß die Karte lügt? Das möcht ich mal wissen!"

„Ach, du Schwachkopf! Die Karte lügt nicht."

„Soso, sie lügt nicht."

„Nein, zum Teufel, sie lügt nicht!"

„Also, wenn sie nicht lügt, dann gibt es keine zwei Staaten mit der gleichen Farbe. Was sagst du nun, Tom Sawyer? "

Er sah, daß ich ihn drangekriegt hatte, und Jim sah es auch; und ich kann euch gar nicht sagen, wie gut mir das tat, denn einen Burschen wie Tom Sawyer kriegte man nicht so leicht dran. Jim klatschte sich begeistert auf die Schenkel und rief: „Mann, Mann, das sein verdammt schlau, verdammt schlau. Keine Zweck, Herr Tom, diesmal reingefallen, das sein sicher!" Und er klatschte sich nochmal auf die Schenkel. „Mann, Mann, das sein verdammt schlau!"

Noch nie in meinem Leben habe ich mich so gefühlt. Ich merkte erst jetzt, was für ein Teufelskerl ich war. Wißt ihr, ich hatte mir die Sache gar nicht richtig überlegt, ich redete nur so ins Blaue hinein und dachte nicht im Traum daran, was ich da Gescheites sagte. Und plötzlich hatte ich's heraus, und Tom war geschlagen. Allerdings, ich war genauso überrascht wie die anderen. Es war, wie wenn jemand zerstreut an einem Stück Brot herumkaut, und plötzlich beißt er auf einen Diamanten. Jetzt weiß er nur, daß er auf was Hartes gebissen hat, und vielleicht flucht er noch; aber dann nimmt er ihn heraus und sieht, daß es ein Diamant ist. Und da freut er sich mächtig und ist glücklich und stolz, obwohl er gar keinen Grund hat, auf irgendwas stolz zu sein. Denn er kann ja gar nichts dafür, es war nur Zufall. Wenn er Diamanten gesucht hätte, wär's was anderes. Jeder Dummkopf kann auf einen Diamanten beißen, wenn er nur das richtige Stück Brot erwischt. Und so ging mir's eben. Ich glaube nicht, daß ich es nochmal geschafft hätte; aber diesmal hatte ich's geschafft.

Ich sehe alles noch genau vor mir, als sei's gestern gewesen: die Sonne, die Wälder und Felder und Seen,

Hunderte von Meilen weit, die Städte und Dörfer ringsum, hier und dort und ganz da hinten auch noch. Der Professor saß an seinem Tischchen und brütete über einer Karte, und Toms Mütze flatterte lustig an der Leine. Ein paar Meter hinter uns flog ein Vogel mit dem Ballon um die Wette, aber er fiel immer weiter zurück. Unter uns paffte eine Eisenbahn durch die Gegend. Sie stieß endlos lange schwarze Rauchwolken aus, und ab und zu kam ein kleines weißes Wölkchen dazwischen; wenn das Wölkchen schon lange verweht war, hörten wir ein schwaches „Tut-tut!" — das war die Pfeife. Bald hatten wir den Vogel und den Zug abgehängt.

Tom hatte aber noch eine Mordswut und sagte, ich und Jim, wir hätten nur eine große Klappe und nichts dahinter; und dann meinte er: „Stellt euch mal vor, da ist ein braunes Kalb und ein brauner Hund, und ein Maler malt ein Bild von den beiden. Was ist dann das Wichtigste dabei? Na? Er muß sie einfach so malen, daß man sie auf den ersten Blick auseinanderkennt! Soll er vielleicht beide braun malen? Nein, natürlich nicht. Er malt eins der Viecher blau, und dann ist alles klar. Deshalb nehmen sie auf der Karte für jeden Staat eine andere Farbe. Sie wollen euch also nicht an der Nase rumführen, sondern im Gegenteil: sie wollen euch nur dran hindern, daß ihr euch selbst an der Nase rumführt."

Aber das ging uns nicht ein, und Jim schüttelte den Kopf und sagte: „Aber Herr Tom! Wenn Sie wissen, wie dumm diese Maler sein! Mit eine Maler Sie können gar nix beweisen. Ich selbst mal eine Maler sehen, und er malen auf die Wiese von Hank Wilson, und ich gehen hin und sehen, er malen diese alte scheckige Kuh, wo kaum noch ein Horn haben — Sie wissen, welche ich meinen. Ich fragen, warum er diese Kuh malen, und er sagen, wenn er sie malen, das Bild kosten hundert Dollar. Da haben Sie diese dumme Maler! Er können die alte Kuh für fünfzehn Dollar kaufen, ich ihm das sagen. Aber diese Idiot schütteln nur die Kopf, und dann er pinseln weiter. Diese Maler gar nix wissen, Herr Tom, können Gift drauf nehmen!"

Da begann Tom zu schreien und zu toben; das ist meistens so, wenn einer den kürzeren zieht. Er brüllte, wir sollten den Rand halten, das wär das beste für uns.

Auf einmal entdeckte er tief unten eine Turmuhr. Er guckte mit dem Fernglas hinunter, sah auf seine eigene Zwiebel und dann nochmal auf die Turmuhr und nochmal auf seine Zwiebel, und endlich sagte er: „Das ist aber komisch. Diese Uhr geht eine Stunde vor!"

Und zur Sicherheit zog er seine Zwiebel auf. Dann entdeckte er noch eine Uhr, und die ging auch eine Stunde vor; das war ihm ein Rätsel. „Verdammt merkwürdig ist das", murmelte er. „Ich versteh das nicht!"

Wieder nahm er das Fernglas und suchte die ganze Gegend nach einer weiteren Uhr ab, und als er eine fand, ging die natürlich auch vor. Plötzlich riß er seine Augen ganz weit auf und begann zu keuchen. „Großer Gott!" rief er aus. „Das ist die *Länge*!"

„Was ist denn jetzt schon wieder los? " fragte ich. Tom machte mich ganz verrückt.

„Was los ist? Ha, diese alte Schweinsblase von einem Ballon ist wie der Teufel über Illinois und

Louisiana und Ohio gefegt, und wir sind jetzt irgendwo im Osten, in Pennsylvania oder sogar in New
York."

„Tom Sawyer — das ist doch nicht dein Ernst? "

„Und ob das mein Ernst ist! Todsicher! Wir haben
etwa fünfzehn Längengrade überflogen, seit wir gestern
starteten, und diese Uhren gehen richtig. Wir sind
schon fast achthundert Meilen weit geflogen!"

Das glaubte ich nie im Leben, aber trotzdem lief es mir eiskalt den Buckel herunter. Wenn man die Strecke mit dem Floß auf dem Mississippi gefahren wäre, hätte man fast zwei Wochen gebraucht.

Jim legte seine Stirn in Falten und dachte nach. Nach einer Weile sagte er: „Herr Tom, Sie sagen, die Uhren gehen richtig? "

„Genau."

„Und Ihre Zwiebel gehen auch richtig? "

„Sie geht richtig für St. Louis, aber hier geht sie eine Stunde nach."

„Herr Tom, Sie behaupten wollen, die Zeit sein nicht überall gleich? "

„Nein, sie ist ganz und gar nicht überall gleich."

Jim guckte ganz bekümmert, und dann sagte er: „Es tun weh, wenn Sie so reden, Herr Tom. Das sein große Schande, wahrhaftig, bei so gute Erziehung. Ihre Tante Polly Herz brechen, wenn sie das hören."

Tom sah Jim verwundert an und konnte gar nichts sagen, und Jim fuhr fort: „Herr Tom, wer machen die Menschen von St. Louis? Gott die Herr. Wer machen die Menschen hier? Gott die Herr. Sein nix alle seine Kinder? Doch, alle seine Kinder. Also! Und Sie sagen, er sie nicht alle gleich behandeln? "

„Einen solchen Blödsinn hab ich doch noch nie gehört. Das heißt doch nicht, daß er sie nicht alle gleich behandelt. Dich hat er doch auch schwarz gemacht und mich weiß! Was ist dann das? "

Jim begriff, daß er in der Falle saß, und er brachte kein Wort heraus.

Statt dessen sagte Tom: „Er macht schon Unterschiede, wenn er das für richtig hält. Aber den Unterschied hat gar nicht Gott gemacht, sondern die Menschen. Der Herr machte den Tag, und er machte die Nacht; aber die Stunden hat er nicht erfunden; das waren die Menschen."

„Herr Tom, das sein wirklich so? Das haben die Menschen gemacht?"

„Ja, das sag ich doch die ganze Zeit."

„Und wer haben gesagt, daß sie das dürfen?"

„Niemand. Sie haben gar nicht danach gefragt."

Jim dachte ein bißchen nach und sagte: „Also, da mir bleiben Spucke weg. Ich mich das nix trauen. Aber manche Menschen sich trauen alles, sich gar nix lassen sagen. Wollen mit Kopf durch die Wand, und wenn alles kaputtgehen. Also, überall sie haben eine Stunde Unterschied?"

„Nein, du Trottel. Zwischen einem Längengrad und dem nächsten sind immer vier Minuten Unterschied. Fünfzehn Längengrade sind eine Stunde, dreißig zwei Stunden, und so weiter. Wenn es in England Dienstag morgen ein Uhr ist, dann ist es in New York abend acht Uhr."

Jim rutschte ein wenig auf seinem Kasten hin und her, und man merkte genau, daß er beleidigt war. Er schüttelte dauernd den Kopf und brummte was in seinen Bart; da rutschte ich zu ihm hinüber und klopfte ihm auf die Schulter, und so half ich ihm über das Schlimmste hinweg.

Schließlich sagte er: „Also nein, Herr Tom, was Sie sagen für Sachen! Dienstag sein eine Sache, Montag eine andere, und sollen beide das gleiche sein! Wie sein das möglich? Nix können zwei Stunden zu eine machen und zwei Nigger in eine Haut stecken. Können vielleicht zwei Flaschen Whisky in eine schütten? Nein, dann Faß überlaufen. Also, wenn jetzt Dienstag Neujahr sein, was dann? Sie wollen sagen, in eine Stadt Neujahr, und in andere noch alte Jahr? In die gleiche Sekunde? Das sein große Blödsinn! Ich das nix aushalten, nix aushalten, ich das nix hören können!" Dann begann er am ganzen Leib zu zittern und wurde weiß wie eine Wand.

Da sagte Tom: „Was soll denn das? Was ist denn in dich gefahren? "

Jim keuchte nur noch: „Herr Tom, das – das sein keine Witz! Das wirklich stimmen? "

„Ja, ich schwör dir's bei meiner Großmutter – es ist wirklich so."

Da kriegte Jim wieder das große Zittern und stieß hervor: „Dann – dann können sein diese Monat die Jüngste Tag, und in England es nix sein die Jüngste Tag, und die Toten kommen nix vor die Jüngste Gericht. Wir dürfen nix nach England fliegen, Herr Tom. Bitte, bitte, Sie sagen, er dürfen nix nach England. Ich – "

Da sahen wir plötzlich etwas, und wir sprangen alle drei vom Sitz hoch und vergaßen alles um uns – wir starrten nur hinunter.

„Ist das nicht – ", brüllte Tom. Vor Aufregung konnte er kaum weitersprechen. „Ja, das ist es, todsicher! Das Meer!"

Wir standen alle wie vom Donner gerührt – und überglücklich, denn keiner von uns hatte je in seinem Leben das Meer gesehen und nicht mal im Traum daran gedacht. Tom murmelte in einem fort: „Das Meer – der Atlantische Ozean. Junge, Junge, wenn das

36

nichts ist! Und es ist wirklich das Meer, und wir sehen es – wir! Es ist fast zu schön, um wahr zu sein!"

Und dann sahen wir eine riesige schwarze Rauchwolke, und als wir näher kamen, wurde aus der Wolke eine Stadt; eine riesige Stadt, und an einer Ecke lagen massenhaft Schiffe. Wir überlegten uns, ob das New York sei, aber während wir noch aufgeregt durcheinanderredeten, war die Stadt schon unter uns weggehuscht und verschwand in der Ferne. Und da flogen wir nun über dem Meer, und wir rasten wie ein Wirbelwind. Der Schreck fuhr uns in alle Glieder, das könnt ihr mir glauben!

Wir begannen zu betteln und zu jammern und flehten den Professor an, er solle mit uns Erbarmen haben und umkehren, zu Hause würden sich sicher alle die größten Sorgen machen ... Aber er zog seine Pistole und scheuchte uns zurück, und ich kann euch gar nicht schildern, wie elend wir uns fühlten.

Das Land war nur noch ein schmaler Streifen, der sich weit in der Ferne dahinschlängelte, und unter uns war das Meer — das Meer, nichts als das Meer, Millionen Quadratmeilen Meer; es hob und senkte sich, es stampfte und schlingerte, weiße Gischt sprühte auf, und nur ein paar Schiffe schaukelten auf den Wellen; erst legten sie sich auf die eine Seite, dann auf die andere, erst tauchte ihr Bug ins Wasser, dann ihr Heck. Es dauerte nicht lange, und wir sahen keine Schiffe mehr; jetzt hatten wir den Himmel und das weite Meer ganz für uns. Noch nie hatte ich so viel Wasser gesehen, und noch nie hatte ich mich so einsam gefühlt.

4

Bald fühlte ich mich noch einsamer. Ich sah hinauf: nichts als der Himmel, nicht mal ein Wölkchen. Ich sah hinunter: nichts als das Meer, kein Schiff und gar nichts, nur Wasser. Ich konnte hinsehen, wo ich wollte: überall, wo das Wasser aufhörte, fing gleich der Himmel an; wir waren von allen Seiten eingeschlossen. Ja, um uns herum zog sich ein ungeheuer großer Ring, und wir waren genau in seiner Mitte. Wir rasten wie ein Präriefeuer übers Meer, aber es war, als würden wir uns nicht von der Stelle rühren — keinen Meter schienen wir aus der Mitte herauszukommen, nicht mal einen Zentimeter. Man konnte das Gruseln davon kriegen.

Alles war so schrecklich still, daß wir uns nur flüsternd unterhielten. Es gruselte uns immer mehr, und wir fühlten uns immer einsamer und redeten immer weniger. Zum Schluß redeten wir überhaupt nichts mehr — wir hockten nur noch da und grübelten und machten eine Ewigkeit nicht mehr den Mund auf.

Auch der Professor rührte sich nicht, bis die Sonne direkt über uns stand; dann raffte er sich auf und nahm ein dreieckiges Ding in die Hand, und Tom sagte, das sei ein Sextant, und er würde damit die Sonne anpeilen, um zu sehen, wo wir waren. Der Professor rechnete irgendwas und stöberte in einem Buch. Dann ging das Gefluche wieder los. Er schrie eine Menge verrückte Sachen, und er sagte auch, er würde dieses Hundert-Meilen-Tempo bis morgen nachmittag durchhalten, und dann würde er in London landen.

Wir sagten, da wären wir ihm ewig dankbar. Er drehte uns gerade den Rücken zu, aber bei unseren Worten fuhr er sofort herum und starrte uns giftig an; noch nie hat mich jemand so böse angeguckt. Dann sagte er: „Ihr wollt mich verlassen. Versucht nicht, das zu leugnen."

Wir wußten nicht, was wir darauf sagen sollten; also sagten wir lieber gar nichts.

Er ging wieder in seine Ecke und setzte sich hin, aber die Sache schien ihm nicht aus dem Kopf zu gehen. Immer wieder kam er damit und wollte von uns eine Antwort, aber wir dachten nicht daran.

Ich kam mir jetzt so gottverlassen vor, daß ich dachte, ich kann es nicht mehr länger aushalten. Und als die Dunkelheit kam, wurde es noch schlimmer. Plötzlich stieß mich Tom heimlich an und flüsterte: „Sieh mal!"

Ich sah, wie der Professor einen kräftigen Schluck aus der Flasche nahm. Das gefiel mir gar nicht. Er nahm einen zweiten Schluck und noch einen und immer noch einen, und bald begann er zu singen. Es war jetzt schon ziemlich dunkel, und nach einer Weile war es stockfinster; dann wurde es stürmisch. Der Professor sang und grölte immer lauter, in der Ferne rollte der Donner, der Wind ächzte und stöhnte – es war ganz scheußlich. Sehen konnten wir den Professor nicht mehr, und wir wünschten, wir würden ihn auch nicht hören; aber hören konnten wir ihn gut. Auf einmal brach sein Gesang ab, und als er zehn Minuten keinen Mucks von sich gegeben hatte, wurde uns die Stille unheimlich. Jetzt wünschten wir, er würde weitergrölen, damit wir wenigstens wußten, wo er war.

Plötzlich zuckte ein Blitz auf, und wir sahen, wie er gerade aufstehen wollte; aber er war so besoffen, daß er die Beine verwechselte und der Länge nach hinfiel. Er brüllte durch die Nacht: „Sie wollen nicht nach England, diese Hunde – also gut! Ich ändere den Kurs. Sie wollen mich verlassen. Sollen sie mich doch verlassen – aber auf der Stelle!"

Mich traf fast der Schlag, als ich das hörte. Dann wurde es wieder still, so still, daß ich es kaum noch aushalten konnte. Ich dachte, nie im Leben kommt wieder ein Blitz. Aber nach einer halben Ewigkeit kam doch wieder einer, und wir sahen den Professor von neuem. Er kroch auf Händen und Füßen auf uns zu – es fehlte nur noch ein Meter, dann hatte er uns am Wickel! Das war vielleicht ein Schreck. Seine Augen glänzten fürchterlich, und plötzlich grapschte er nach Tom und brüllte: „Über Bord mit dir!" Aber da war es schon wieder pechrabenschwarz, und ich sah nicht, ob er Tom erwischte oder nicht. Tom machte nicht mal pieps.

Wieder mußten wir eine Ewigkeit warten, es war zum Verzweifeln. Dann zuckte wieder ein Blitz, und eine Sekunde lang tauchte Toms Kopf am Ballonrand auf; Tom klammerte sich an die Strickleiter, die über Bord baumelte. Der Professor brüllte auf und sprang mit einem mächtigen Satz auf ihn los — beide versanken in der schwarzen Nacht.

Jim begann zu winseln: „Ogottogottogott, arme Herr Tom — er sein hin!" Dann wollte er auf den Professor los, aber der Professor war verschwunden.

Plötzlich hörten wir einen jämmerlichen Schrei — und dann noch einen, nicht mehr so laut, und dann noch einen aus der Tiefe. „Arme Herr Tom!" ächzte Jim.

Dann war es totenstill. Wir warteten verzweifelt auf den nächsten Blitz. Es dauerte endlos lange; wenn ich zu zählen begonnen hätte, wär ich bestimmt auf vierhunderttausend gekommen, das hätte ich geschworen. Als der Blitz endlich kam, sah ich Jim auf dem Boden knien; seine Arme lagen auf dem Kasten, sein Gesicht hatte er in den Händen vergraben, und er weinte herzzerreißend. Bevor ich über Bord sehen konnte, war es schon wieder stockfinster. Ich war fast ein bißchen erleichtert, denn ich wollte am liebsten gar nichts sehen. Aber als der nächste Blitz aufzuckte, schielte ich doch hinunter. Die Leiter pendelte im Wind hin und her, und ganz unten baumelte jemand daran. Es war Tom!

„Komm rauf!" brüllte ich. „Komm rauf, Tom!"

Der Sturm tobte so heftig, und seine Stimme war so schwach, daß ich nicht verstand, was er mir zurief; aber er wollte wahrscheinlich wissen, ob der Professor oben war.

Ich schrie: „Nein, er ist ins Meer gestürzt. Komm rauf! Können wir dir helfen? " Und das alles natürlich im Dunkeln!

„Huck, mit wem du reden? " rief Jim.

„Mit Tom!"

„Oh, Huck, wie du das können, wo doch wissen, daß arme Herr Tom — " Dann brüllte er plötzlich wie ein Ochse und fuchtelte wie wild mit den Armen, und dann brüllte er nochmal — denn ein weißer Blitz zuckte am Himmel, und Toms Kopf tauchte über dem Rand auf, weiß wie eine Wand, und Tom starrte ganz verdattert auf Jim. Der zitterte am ganzen Leib — er dachte, es sei Toms Geist.

Tom kletterte an Bord, und als Jim endlich kapierte, daß Tom noch lebendig war, fiel er ihm wie toll um den Hals und sprudelte alles mögliche verrückte Zeug hervor, als hätte er den Verstand verloren — so freute er sich.

„Warum hast du gewartet, Tom? " fragte ich. „Wieso bist du nicht gleich raufgeklettert? "

„Na ja, ich sah, daß jemand an mir vorbeistürzte, aber in der Dunkelheit erkannte ich nicht, wer das war. Hätte ja sein können, daß du es bist oder Jim."

So einer war Tom — immer mit Köpfchen. Er kam erst herauf, als er wußte, wo der Professor war.

Jetzt legte der Sturm erst richtig los, mit Volldampf voraus; der Donner brüllte fürchterlich, grelle Blitze zuckten um die Wette, der Wind heulte, und der Regen prasselte; ein richtiges Höllenkonzert, mit Pauken und Trompeten. In der einen Sekunde sah man nicht die Hand vor dem Gesicht, und in der nächsten hätte man die Fäden an seiner Jacke zählen können; und unter uns sahen wir durch einen Regenschleier ein ganzes Wellengebirge stampfen und schlingern. Ein solcher Sturm ist das Tollste, was es gibt; aber es ist nicht so toll, wenn man einsam und verlassen durch die Luft gondelt, naß bis auf die Haut, und eben jemand ertrunken ist.

Wir hockten ganz dicht zusammen und redeten leise über den armen Professor. Er tat uns allen schrecklich leid, weil die Leute ihn verlacht hatten und so roh zu ihm gewesen waren; dabei hatte er sein Bestes gegeben und doch keinen Freund und niemand gehabt, der ihm auf die Schulter geklopft hätte, wenn er mal mies aufgelegt war. Und so hatte er schließlich den Verstand verloren und war verrückt geworden. In der Ecke des Professors waren massenhaft Kleider und Decken, so viel man wollte, aber wir wurden lieber naß, bevor wir hinüberkrochen. Wir wären uns ziemlich schäbig vorgekommen, wenn wir jetzt gleich den Platz beschlagnahmt hätten, wo er vor einer Weile noch gesessen hatte. Jim sagte, eher läßt er sich einweichen wie ein Schwamm, als daß er hinübergeht und womöglich noch seinem Geist begegnet. Ihm wird immer ganz schlecht, sagte er, wenn er einen Geist sieht, und er würde lieber sterben als ein Gespenst anfassen.

5

Wir überlegten, was wir machen sollten; aber wir konnten uns nicht einigen. Ich und Jim wollten umkehren und nach Hause fliegen, aber Tom sagte, wir müssen sowieso den Tag abwarten, und dann sind wir schon so weit, daß wir genausogut nach England fliegen und mit dem Schiff zurückfahren können; und das wäre dann eine große Heldentat.

So gegen Mitternacht hörte der Sturm auf, und der Mond schien wieder auf das Meer; da fühlten wir uns ein bißchen wohler. Bald wurden wir schläfrig und legten uns auf die Kästen. Als wir wieder aufwachten, stand die Sonne schon hoch am Himmel. Das Meer funkelte wie ein riesengroßer Diamant, und bei diesem Wetter waren unsere Sachen bald wieder trocken.

Dann gingen wir in die Ecke des Professors und suchten was zum Frühstück. Zuerst entdeckten wir, daß an einem Kompaß ein schwaches Licht brannte. Tom erschrak mächtig und sagte: „Wißt ihr, was das bedeutet? Das bedeutet, daß dauernd jemand Wache schieben und das Ding wie ein Schiff steuern muß, sonst treibt der Ballon im Wind hin und her."

„Ja, und was war dann seit — seit dem Unfall?" fragte ich.

„Er ist rumgetrieben, ja, da gibt's nichts. Jetzt treibt er gerade nach Südosten — und wir wissen nicht mal, wie lange schon."

Er steuerte den Ballon jetzt nach Osten und sagte, er würde ihn in dieser Richtung halten, bis das Frühstück fertig sei.

Der Professor hatte alles mitgenommen, was das Herz begehrt; wir hätten es nicht besser treffen können. Es gab zwar keine Milch für den Kaffee, aber Wasser und alles, was man wollte: einen kleinen Kohleofen und Brennmaterial, Tabakspfeifen und Zigarren und Streichhölzer, Wein und Schnaps (aber das war nichts für uns), Bücher und Landkarten und Seekarten, eine Ziehharmonika, Pelze und Decken und alles mögliche Zeug, sogar Glasperlen und Blechschmuck; Tom sagte, das sei ein sicheres Zeichen, daß er zu den Wilden wollte. Auch Geld war da. Ja, der Professor hatte an alles gedacht.

Nach dem Frühstück zeigte uns Tom, wie man den Ballon steuerte, und wir machten aus, daß jeder vier Stunden Wache stehen sollte. Als Toms Wache vorbei war, kam ich an die Reihe. Tom suchte Papier und Schreibzeug und schrieb einen Brief an seine Tante Polly; er erzählte ihr alles, was mit uns passiert war, und obendrüber schrieb er: „Im Firmament, auf der

Fahrt nach England." Dann faltete er den Brief zusammen, versiegelte ihn mit einem roten Siegel und malte in großen Buchstaben drauf: „Von Tom Sawyer, dem Ehronaut." Er sagte, Nat Parson würde vor Wut platzen, wenn er den Brief mit der Post kriegte. Aber ich meinte: „Tom Sawyer, das ist kein Firmament; das ist ein Ballon."

„Hab ich vielleicht behauptet, er sei ein Firmament?"

„Du hast's immerhin geschrieben."

„Was denn? Das bedeutet doch nicht, daß der Ballon das Firmament ist."

„So, dann hab ich's nicht kapiert. Was ist denn ein Firmament?"

Ich merkte gleich, daß er's auch nicht wußte. Er überlegte sich die Sache hin und her, aber er kam einfach nicht drauf, und zum Schluß sagte er: „Ich weiß es nicht, und überhaupt weiß das niemand. Es ist einfach so ein Wort. Und es ist ein verdammt gutes Wort, es gibt kaum ein besseres. Ich glaube sogar, es ist das beste überhaupt."

„Blödsinn", sagte ich. „Ich will nur wissen, was es bedeutet, sonst nichts."

„Ich weiß nicht, was es bedeutet – ich hab's dir doch schon mal gesagt. Man nimmt das Wort, um – um – also, um was auszuschmücken. Sieh mal, ein schönes Hemd hat doch auch Rüschchen. Aber diese Rüschchen sind doch nicht dazu da, damit's einen nicht friert, oder?"

„Natürlich nicht."

„Aber man macht doch Rüschchen hin, oder?"

„Ja."

„Also, da haben wir's; der Brief, den ich geschrieben habe, ist das Hemd, und das Firmament sind die Rüschchen dran."

Ich dachte mir gleich, daß Jim seinen Senf dazu geben mußte, und ich hatte recht. Er sagte: „Also, Herr Tom, das sein Blödsinn — und auch Sünde. Sie wissen, eine Brief sein kein Hemd, und an eine Brief auch keine Rüschchen. Nirgendwo Platz dafür, und sie auch nicht festhalten, wenn man sie hinmachen."

„Oh, halt doch die Klappe! Du hast doch keine Ahnung, um was es geht."

„Also, Herr Tom, Sie nix dürfen sagen, daß ich keine Ahnung haben von Hemden. Sie wissen, daß ich zu Hause immer Wäsche waschen, seit — "

„Ich sag dir, das hat überhaupt nichts mit Hemden zu tun. Nur — "

„Aber Herr Tom, Sie selbst sagen, eine Brief — "

„Ich werd noch wahnsinnig. Sei doch still! Ich hab das doch nur bildlich gemeint, verstehst du nicht, als Bild — "

„Bild? Also wenn Sie jetzt wieder kommen mit ihre dumme Maler — "

„Verflixt nochmal! Ich sagte doch bildlich, das heißt — also das ist so was wie ein Sprichwort. Wenn ich sage: Der Spatz in der Hand ist besser als die Taube auf dem Dach, dann bedeutet das — "

„Also, Herr Tom — so eine Blödsinn! Spatz in die Hand! Was wollen mit Spatz in die Hand? Nix gut schmecken, gar nix! Picken in die Finger, weh tun. Lieber fangen Taube auf die Dach!"

„Hör auf, ich kann das nicht mehr hören. Du hast doch keine Ahnung!"

48

Aber das stimmte nicht, denn Jim hatte mehr Ahnung von Vögeln als wir beide zusammen. In der Sekunde, als Tom über Vögel zu quasseln begann, wußte ich, daß er gegen Jim keine Chance hatte. Jim hatte massenhaft Vögel gefangen, und so kannte er sich genau aus. So machen's auch die Leute, die Bücher über Vögel schreiben. Sie lieben die Vögel so sehr, daß sie Hunger und Durst und alles mögliche aushalten, bis sie einen neuen Vogel finden und ihn totschießen. Sie heißen Orinologen, und ich könnte selbst so ein Orinologe sein, weil ich die Vögel und Tiere schon immer gern gemocht habe. Ich wollte auch schon mal lernen, wie man einer wird, und ich fand auch einen Vogel, der saß hoch im Baum auf einem Ast. Er hatte den Schnabel aufgesperrt und schmetterte die tollsten Lieder, und ich ballerte einfach los, ohne mir was dabei zu denken. Da hörte er auf zu singen und fiel wie ein Lumpensack vom Baum, und ich rannte hin und hob ihn auf. Er war tot, aber er war noch warm in meiner Hand, und sein Kopf kullerte hin und her, als sei sein Hals gebrochen; ich sah einen Streifen weißer Haut über seinen Augen und einen winzigen Blutstropfen an seinem Kopf — und dann sah ich vor lauter Tränen gar nichts mehr. Und seither hab ich kein Tier mehr umgebracht, das mir nichts getan hat, und ich werd's auch nie wieder tun.

Aber die Sache mit dem Firmament ging mir noch immer im Kopf herum, und ich wollte jetzt endlich Bescheid wissen. Ich fing wieder damit an, und Tom erklärte mir's, so gut er konnte. Er sagte, wenn einer eine große Rede schwingt, schreiben sie hinterher in den Zeitungen, das Firmament habe erzittert. Das würden sie immer schreiben, aber noch nie hätte es einer erklärt, und deshalb meinte er, es bedeutet irgendwie im Freien und hoch in der Luft. Das kam mir ganz vernünftig vor, und ich sagte das auch. Tom freute sich mächtig darüber, und er war gleich wieder guter Laune.

„Also gut", sagte er, „dann ist ja alles klar. Schwamm drüber! Ich weiß nicht genau, was das Firmament ist, aber wenn wir in London landen, wird es erzittern, darauf könnt ihr euch verlassen."

Er sagte auch, ein Ehronaut sei einer, der in einem Ballon herumgondelt; es sei viel besser, wenn er Tom Sawyer der Ehronaut sei als Tom Sawyer der Weltreisende — die ganze Welt würde davon erfahren, wenn wir's geschafft hätten; also gäb er jetzt keinen Pfifferling mehr drum, ein Weltreisender zu sein.

Nachmittags war alles zur Landung fertig, und wir kamen uns unheimlich gut vor. Wir linsten dauernd durchs Fernglas, wie Kolumbus, als er Amerika entdeckte, aber wir sahen nichts als das Meer. Der Nachmittag verging, die Sonne versank, und noch immer war kein Land in Sicht. Wir überlegten, was los war; aber wir dachten, es würde schon noch hinhauen. So steuerten wir weiter nach Osten, nur etwas höher, damit wir im Dunkeln nicht gegen irgendwelche Berge oder Kirchtürme stoßen konnten.

Tom hatte bis Mitternacht Wache, und dann kam Jim an die Reihe; aber Tom legte sich nicht schlafen, weil er sagte, ein Kapitän sei immer wach, wenn sich sein Schiff dem Land nähere.

Als es wieder hell wurde, ließ Jim plötzlich einen Schrei los. Wir fuhren hoch und sahen hinunter —

unter uns war Land, richtiges Land, so weit das Auge reichte, topfeben und gelb. Wir waren schon eine ganze Weile darüber hinweggeflogen, ohne es zu merken. Es gab keine Bäume, keine Hügel, keine Felsen, keine Städte, und in der Dunkelheit hatten Tom und Jim gedacht, es sei das Meer. Sie hatten sich ein bißchen gewundert, weil es keine Wellen gab, aber wir waren so hoch in der Luft, daß sie meinten, das Meer sei eben ganz zahm.

Jetzt waren wir natürlich schrecklich aufgeregt und rissen uns fast das Fernglas aus den Händen. Wir suchten die ganze Gegend nach London ab, doch wir fanden nicht mal eine Hütte und auch keine Spur von einem See oder einem Fluß. Tom wurde davon ganz meschugge und sagte, England hätte er sich aber anders vorgestellt; er hatte gedacht, es würde wie Amerika aussehen. Also sagte er, wir sollten erst mal frühstücken, dann würden wir landen und nach dem schnellsten Weg nach London fragen. Wir machten das Frühstück ziemlich kurz, weil wir so zappelig waren.

Als der Ballon sachte abwärts glitt, war es nicht mehr so kalt, und bald zogen wir unsere Mäntel aus. Aber es wurde immer wärmer, und nach kurzer Zeit war's uns zu warm. Ich begann mächtig zu schwitzen und dachte, es klebt alles an mir. Wir waren jetzt dicht über der Erde, und die Hitze wurde ganz höllisch; ich kam mir vor wie in einem Backofen.

Wir stoppten zehn Meter über dem Land — es war lauter Sand, so weit man sehen konnte. Tom und ich kletterten die Strickleiter herunter und machten uns ein bißchen Bewegung, weil wir uns ganz eingerostet fühlten. Das tat uns unheimlich gut; das heißt, die Bewegung tat uns gut, aber der Sand brannte uns auf den Sohlen wie glühende Kohlen. Da tauchte plötzlich in der Ferne jemand auf, und wir liefen ihm entgegen. Doch da hörten wir plötzlich einen Schrei hinter uns; das war Jim, und er sprang wie ein Gummiball auf und ab und fuchtelte wild mit den Armen. Wir waren zu Tode erschrocken, aber wir verstanden nicht, was er brüllte, und so rannten wir, so schnell wir konnten, zum Ballon. Als wir näher kamen, verstanden wir ihn endlich, und es wurde mir ganz übel davon.

„Ein Löwe!" brüllte er. „Schnell rennen! Ich durch Glas sehen. Schneller, schneller! Er aus die Zirkus ausgebrochen und ganz wild!"

Tom sauste nur so dahin, aber meine Beine waren schwer wie Blei; ich war ganz fertig. Wie ein Schlafwandler torkelte ich durch die Gegend; es war wie im Traum, wenn ein Gespenst hinter einem her ist.

Tom war schon bei der Strickleiter und kletterte ein Stück nach oben. So wartete er auf mich, und sobald ich ihren Zipfel erwischt hatte, brüllte er Jim zu, er solle den Ballon hochjagen. Aber Jim war ganz verstört und jammerte, er wüßte nicht, wie. Also kletterte Tom vollends hinauf, und ich sollte ihm nach. Doch der Löwe war jetzt schon verdammt nahe, und mit jedem Satz brüllte er so entsetzlich, daß ich dachte, mich holt der Teufel; ich begann am ganzen Leib zu zittern und rührte mich nicht, weil ich Angst hatte, abzustürzen.

Tom war jetzt an Bord und startete vorsichtig den Ballon, und als wir gut drei Meter über dem Boden waren, stoppte er sofort wieder. Der Löwe war da! Er tobte unter mir herum und machte einen mächtigen Satz nach der Leiter — ein paar Millimeter fehlten, und er hätte mich erwischt; mir kam's jedenfalls so vor. Ich freute mich riesig, daß ich noch mal davongekommen war — es war ein herrliches Gefühl —, aber ich hing ganz hilflos da und konnte nicht hinaufklettern, und das war ein scheußliches Gefühl. Es kommt ganz selten vor, daß jemand so gemischte Gefühle hat; nicht mal meinem ärgsten Feind würde ich das wünschen.

Tom fragte, was er machen solle, aber das wußte ich auch nicht. Er brüllte herunter, ob ich mich festhalten könne, wenn er mit dem Ballon abhaute. Ich rief ja, wenn er nicht höher ginge, denn sonst würde mir's den Magen umdrehen, und ich würde todsicher abstürzen. Da wünschte er mir Hals- und Beinbruch, und es ging los.

„Nicht so schnell!" schrie ich. „Ich hab schon den Drehwurm!"

Er war wie der Teufel abgezischt, aber jetzt flog er langsamer, und ich schaukelte ganz gemächlich über den Sand. Doch es war mir noch immer nicht ganz geheuer in meiner Affenschaukel.

Der Löwe holte auf und machte dabei einen Höllenlärm; sein Gebrüll lockte auch noch andere Löwen an. Aus allen Himmelsrichtungen jagten sie herbei. Bald waren ein paar Dutzend unter mir, sprangen nach der Leiter, knurrten sich gegenseitig an und schnappten nacheinander. Tom legte wieder einen Zahn zu, und so jagten wir weiter über den Sand, der ganze Rattenschwanz von Löwen hinterher. Die verdammten Biester gaben ihr Bestes und heizten uns nach Leibeskräften ein. Dann kamen noch ein paar Tiger, ohne daß sie jemand eingeladen hätte, und nun war natürlich erst richtig die Hölle los.

Die Viecher blieben dicht hinter uns, und noch schneller konnte Tom nicht fliegen, sonst wäre ich gestorben. Unser Plan war schiefgegangen; abhängen konnten wir die Löwen bei diesem Tempo nicht, und ich konnte mich auch nicht ewig festhalten. Aber Tom strengte sein Köpfchen an und kam auf eine andere Idee. Er wollte einen Löwen mit dem Revolver abknallen, und wenn sich die anderen um den Kadaver balgten, konnten wir abhauen. Also stoppte er den Ballon, nahm den Revolver, zielte auf die Meute und drückte ab. Ein Löwe brüllte auf, schlug einen Purzelbaum und streckte alle viere von sich. Sofort warfen sich die anderen über ihn her, und wir jagten davon. Bald hatten wir eine Viertelmeile Vorsprung. Ich zog mich mit letzter Kraft hoch. Tom und Jim halfen mir an Bord. Jetzt wollten uns die Biester wieder nach, aber als sie sahen, daß wir ihnen ein Schnippchen geschlagen hatten, setzten sie sich auf ihre vier Buchstaben und glotzten uns traurig hinterher. An ihrer Stelle wäre ich auch traurig gewesen.

6

Ich war total fertig und wollte nur noch schlafen. Mit letzter Kraft wankte ich zu meinem Kasten und warf mich der Länge nach hin. Aber bei dieser vermaledeiten Hitze konnte sich kein Mensch erholen. So kommandierte Tom „Aufsteigen!", und Jim startete. Und denkt mal, es war gar nicht so einfach, den Ballon hochzukriegen, weil überall Flöhe herumwimmelten. Ein Floh ist leicht wie eine Feder, aber hunderttausend Flöhe haben ein ganz schönes Gewicht. Tom dachte an ein Kinderlied: da hatte ein Mädchen ein kleines Lamm, und seine Flöhe waren weiß wie Schnee, die Flöhe des Lammes nämlich. Aber diese hier waren's nicht: sie waren von der schwarzen Sorte, der Sorte, die immer hungrig ist und gar nicht wählerisch; sie fressen Kuchen, wenn sie keinen Christenmenschen kriegen. Diese Viecher sind überall dort, wo es Sand hat; je mehr Sand, desto mehr Flöhe. Hier war alles voller Sand, und ihr könnt euch denken, wieviel Flöhe da waren — eine ganze Staubwolke.

Wir mußten eine Meile hochgehen, bis es ein bißchen kühler wurde; und eine weitere Meile mußten wir aufsteigen, bis wir vor diesen Biestern Ruhe hatten; endlich begannen sie zu frieren und fielen massenweise über Bord. Dann gingen wir wieder eine Meile tiefer; jetzt waren wir genau richtig, eine lustige Brise wehte, und bald war ich wieder ganz der alte.

Tom hatte die ganze Zeit still dagehockt und hin und her gegrübelt; doch jetzt sprang er auf und rief: „Ich wette eins zu tausend, daß ich weiß, wo wir sind. Wir sind in der Sahara – todsicher!"

Tom war ganz aufgeregt und zappelig. Aber ich war die Ruhe selbst und sagte: „Na und? Wo ist denn die Sahara? In England oder in Schottland? "

„Pah – England! In Afrika!"

Jim bekam Stielaugen und starrte ganz gebannt hinunter, weil sein Urgroßvater ja aus Afrika kam. Ich glaubte es aber nicht so recht; ich konnte einfach nicht, weil es mir so furchtbar weit vorkam, und ich dachte, nie im Leben kann ein Mensch bis nach Afrika kommen.

Aber Tom war mächtig stolz auf seine Entdeckung, wie er's nannte, und sagte, er sei ganz sicher; so viel Sand und so viele Löwen gäb's nur in der Wüste Sahara. Er sagte, er hätte es schon viel eher herausfinden können, schon bevor Land in Sicht war, wenn er nur was gedacht hätte. Wir fragten, warum, und er sagte: „Seht euch mal diese Uhren an. Das sind Chronometer; sie kommen in jedem Buch über Seereisen vor. Einer davon zeigt die Grinitsch-Zeit, und der andere die Zeit von St. Louis, wie meine Zwiebel. Als wir von zu Hause losfuhren, war es auf meiner Zwiebel und auf diesem Chronometer vier Uhr nachmittags, und auf dieser Grinitsch-Uhr war es zehn Uhr nachts. Also, um diese Jahreszeit geht die Sonne etwa um sieben unter. Und als sie gestern unterging, war es halb sechs auf der Grinitsch-Uhr und halb zwölf Uhr vormittags auf meiner Zwiebel und dem andern Chronometer. Seht ihr, die Sonne ging nach meiner

Uhr in St. Louis auf und wieder unter, und die Grinitsch-Uhr war sechs Stunden voraus; aber wir sind so weit nach Osten getrieben, daß die Sonne jetzt bald auf die Stunde genau nach der Grinitsch-Uhr untergeht, und meine Zwiebel geht völlig falsch. Das bedeutet, daß wir uns immer mehr der Länge Irlands genähert haben, und wir wären bald drauf gestoßen, wenn unsere Richtung gestimmt hätte. Aber wir sind weit nach Südosten abgetrieben — und ich bin überzeugt, daß wir jetzt in Afrika sind. Seht euch doch diese Karte an! Hier, der Buckel von Afrika wölbt sich nach Westen. Denkt daran, wie schnell wir geflogen sind! Wären wir direkt nach Osten gesegelt, hätten wir England schon weit hinter uns. Wir müssen jetzt alle aufpassen, wann es Mittag ist; wenn wir dann aufstehen und keine Schatten werfen, muß es auf der Grinitsch-Uhr gegen zwölf sein. Ja, Freunde; ich glaube, wir sind in Afrika — und das finde ich ganz toll.“

Jim stierte noch immer durchs Fernglas. Dann schüttelte er den Kopf und meinte: „Herr Tom, ich glauben, daß irgendwas nix stimmen. Ich nirgends eine Nigger sehen.“

„Das hat nichts zu sagen — sie leben nicht in der Wüste. Aber was seh ich denn da hinten? Schnell, gib mir das Fernglas!“

Er schaute lange durch, und dann sagte er, es sei wie eine schwarze Schlange, die durch die Wüste kriecht; aber er erriet nicht, was es war.

„Also“, sagte ich, „da hast du vielleicht eine Chance, herauszufinden, wo wir sind. Das ist sicher eine der Linien, die auf der Karte eingezeichnet sind —

ich glaube, du sagst Längengrad dazu. Wir landen einfach dort und sehen auf seine Nummer, und – "

„Oh, geh zum Kuckuck, Huck Finn! Ein solcher Trottel ist mir noch nie begegnet. Hast du gedacht, die Längengrade seien auf die Erde gemalt? "

„Sie sind auf die Karte gemalt, das weißt du ganz genau."

„Natürlich sind sie auf der Karte, aber doch nicht auf der Erde!"

„Weißt du das ganz sicher, Tom? "

„Wenn ich dir's sage."

„Also, dann lügt die Karte schon wieder. Mir ist noch nie jemand begegnet, der so geschwindelt hat wie diese Karte."

Ich war darauf gefaßt, daß er jetzt eine mächtige Wut bekäme; Jim wollte auch schon den Mund aufmachen, und in der nächsten Sekunde wäre schon wieder der Streit losgegangen – hätte Tom nicht das Fernglas fallen lassen und wie ein Verrückter in die Hände geklatscht und gebrüllt: „Kamele! Kamele!"

Ich langte nach dem Glas und blinzelte durch, und Jim stand auch schon da. Doch ich war ganz enttäuscht und sagte: „Was, Kamele! Selber Kamel! Es sind Spinnen!"

„Spinnen, du Schwachkopf? Spinnen in der Wüste? Spinnen, die hintereinander hertrotten? Denk erst mal nach, bevor du das Maul aufmachst. Wir sind eine Meile hoch in der Luft, und diese Viecher sind zwei oder drei Meilen entfernt. Spinnen – daß ich nicht lache! Spinnen, so groß wie eine Kuh? Probier doch mal, ob sie sich melken lassen! Aber es sind Kamele! Es ist eine Karawane, und sie ist eine Meile lang."

„Also, fliegen wir hin und sehen nach. Ich glaub's einfach nicht, bis ich's mit meinen eigenen Augen gesehen habe."

„Gut", sagte er und gab das Kommando: „Tiefer!"

Als wir näher kamen, sahen wir, daß es tatsächlich Kamele waren. Sie trotteten gemächlich durch die Wüste, ein endlos langer Zug; auf dem Rücken trugen sie schwere Ballen, und wir sahen jetzt auch ein paar hundert Männer in langen weißen Kutten. Sie hatten so was wie einen Schal um ihren Kopf gewickelt, Troddeln und Fransen hingen herunter. Manche der Männer trugen lange Gewehre, andere nicht; einige ritten, und einige gingen zu Fuß. Und wie langsam krochen sie über den Sand! Ja, es war schrecklich heiß, wir kamen uns vor wie die Brötchen im Backofen. In rasendem Fall stießen wir herab und stoppten etwa hundert Meter über ihren Köpfen. Ihr hättet mal sehen sollen, was jetzt los war! Die Männer vollführten ein

60

jämmerliches Gekreische, manche warfen sich platt auf den Bauch, manche begannen mit den Gewehren auf uns zu feuern; die anderen zischten ab wie ein geölter Blitz, und die Kamele hinterdrein.

Als wir merkten, daß wir sie zu Tode erschreckt hatten, stiegen wir wieder eine Meile höher und beobachteten sie von dort aus. Es dauerte fast eine Stunde, bis sie sich wieder einigermaßen beruhigt hatten und weiterzogen. Aber wir sahen durchs Fernglas, daß sie kaum auf den Weg achteten und immer wieder ängstlich zu uns heraufschielten. Wir segelten gemächlich weiter und guckten dauernd durchs Fernglas hinunter. Plötzlich entdeckten wir einen großen Sandhaufen, und dahinter wimmelte es von Ameisen. Das heißt, es waren natürlich Menschen, und einer von ihnen lag oben auf dem Hügel und hob ab und zu den Kopf; ich wußte nicht, ob er die Karawane beobachtete oder uns. Als die Karawane näherkam, sauste er die andere Seite hinunter und rannte zu den Männern und Pferden. Alle schwangen sich rasch in den Sattel und braus ten los wie die Feuerwehr; sie hatten Lanzen und lange Gewehre und brüllten aus Leibeskräften.

Wie die Teufel schossen sie auf die Karawane zu, und in der nächsten Sekunde krachten sie zusammen. Jetzt war natürlich die Hölle los; es gab einen fürchterlichen Kuddelmuddel und eine Knallerei, wie ich sie noch nie erlebt habe. Eine riesige Staubwolke wirbelte auf, und wir sahen die Kämpfenden nur noch ganz verschwommen. Zusammen waren es vielleicht sechshundert Mann; ihr könnt euch vorstellen, was das für ein Gemetzel gab. Als der erste Ansturm vorbei war, spalteten sie sich in Gruppen auf. Sie kämpften jetzt einzeln, Mann gegen Mann; sie schrien und brüllten und ächzten und stöhnten und gingen wie irr aufeinander los und kämpften bis zum Umfallen. Als sich der Staub etwas lichtete, sahen wir, daß viele Männer und Kamele auf dem Boden lagen und keinen Mucks mehr machten. Sie waren über die ganze Gegend verstreut, und Kamele jagten in alle Richtungen davon.

Schließlich mußten die Räuber einsehen, daß sie keine Chance mehr hatten. Ihr Häuptling gab das Signal zur Flucht, und alle, die sich noch rühren konnten, hauten so schnell wie möglich ab. Der letzte Mann schnappte sich ein Kind und zerrte es aufs Pferd; und eine Frau rannte ganz verzweifelt hinter ihm her, bis sie schon weit von ihren Leuten entfernt war; dann mußte sie aufgeben. Sie streckte hilflos die Arme aus, dann sank sie in den Sand und hielt sich die Hände vors Gesicht; ich glaube, sie weinte. Da packte Tom das Steuer, und wir verfolgten den Schurken. Bald hatten wir ihn erreicht und stürzten uns wie ein Habicht auf ihn. Er flog in hohem Bogen aus dem Sattel, und das Kind mit. Er fluchte und rieb sich die Schrammen. Aber das Kind war überhaupt nicht verletzt; es lag auf dem Rücken und zappelte mit allen vieren in der Luft, wie ein Maikäfer, der nicht mehr auf die Beine kommt. Der Kerl torkelte ganz benommen davon und schleifte sein Pferd hinter sich her; ich glaube, er hatte keine Ahnung, wer ihn aus dem Sattel geworfen hatte — wir waren nämlich im Handumdrehen wieder dreihundert Meter hoch in der Luft.

Wir dachten, die Frau würde jetzt schnell ihr Kind holen, aber das tat sie nicht. Das wunderte uns, und wir richteten das Fernglas auf sie. Da saß sie immer

noch und ließ den Kopf hängen. Natürlich — sie hatte
gar nicht gesehen, was passiert war, und dachte, der
Kerl sei mit ihrem Kind schon längst über alle Berge.
Fast eine halbe Meile war sie von der Karawane entfernt, und wir überlegten, ob wir das Kind holen und
zu ihr bringen sollten. Wir hatten ein bißchen Angst
vor der Karawane, aber sie war ja noch ziemlich weit
weg, und die Männer mußten sich sowieso erst um ihre
Verwundeten kümmern. Wir dachten, wir könnten's
riskieren — und wir riskierten es. Wir jagten hinunter
und stoppten ein paar Meter über dem Kind; Jim ließ
die Strickleiter hinab und holte es herauf. Es weinte
nicht mal, sondern war ganz gut aufgelegt, wenn man
bedenkt, daß es gerade einen Kampf und einen Sturz
vom Pferd erlebt hatte. Es war kugelrund und über-

haupt sehr niedlich. Wir fuhren nun schleunigst zu der
Mutter und hielten dicht hinter ihr an. Jim kletterte
mit dem Kind hinunter und schlich ganz leise zu ihr.
Als er direkt hinter ihr stand, machte das Kind
„Gugu!", wie kleine Kinder so machen. Die Frau hörte
es, fuhr wie wild herum und stieß einen Freudenschrei
aus. Dann machte sie einen Satz auf das Kind zu, riß es
Jim aus den Armen und drückte es fest an sich; und
dann legte sie es auf den Boden und umarmte Jim —
Jim war ganz verdattert. Schließlich riß sie sich eine
goldene Kette vom Hals und hängte sie Jim um, dann
umarmte sie ihn wieder, ließ ihn los und umarmte ihr
Kind. Sie zerdrückte es fast an ihrer Brust, und dabei
lachte und weinte sie die ganze Zeit. Jim lief zur Leiter
und kletterte herauf, und in einer Minute waren wir
schon wieder hoch am Himmel. Die Frau starrte uns
verdutzt nach, und wir sahen sie noch lange stehen,
während wir davonsegelten.

7

„Mittag!" sagte Tom, und das stimmte. Sein Schatten
war nur noch ein schwarzer Fleck. Wir guckten auf die
Grinitsch-Uhr, und es war tatsächlich fast genau zwölf.
Da sagte Tom, London sei direkt im Norden — oder im
Süden, eins von beiden; und nach dem Wetter und dem
Sand und den Kamelen schätzte er, daß es im Norden
war, und zwar ganz schön weit im Norden, so weit wie
von New York bis Mexiko.

Jim sagte, der Ballon sei sicher das Schnellste, was es auf der Welt gebe, außer vielleicht ein paar Vögeln, zum Beispiel einer Wildtaube, oder einer Eisenbahn.

Aber Tom sagte, er habe von Eisenbahnen in England gelesen, die auf kurze Strecken fast hundert Meilen drauf hätten, und kein Vogel auf der ganzen Welt würde das schaffen, außer einem einzigen – dem Floh.

„Eine Floh? " sagte Jim ganz erstaunt. „Aber Herr Tom, erstens sein eine Floh kein Vogel, wenn man genau – "

„So, so, ein Floh ist kein Vogel? Was ist er dann? "

„Ich nix genau wissen, aber ich glauben, er sein einfach nur eine Viech. Nein, ich glaube, daß auch nix stimmen – er zu klein für eine Viech. Er sein – er sein eine Wanze. Ja, Herr Tom, eine Floh sein eine Wanze."

„Ich wette, daß er keine Wanze ist. Aber lassen wir das. Du wolltest doch noch was sagen? "

„Ja, Vögel sind Viecher, wo große Strecke fliegen, aber eine Floh nix."

„So, so, ein Floh nicht? Dann sag mir mal, was eine große Strecke ist."

„Also, große Strecke sein ganz weit, viele Meilen – alle das wissen."

„Kann ein Mensch nicht viele Meilen gehen? "

„Ja, er können."

„So viele wie eine Eisenbahn? "

„Ja, wenn er genug Zeit haben."

„Und ein Floh kann das nicht? "

„Nein – ja – also, er schon können, aber brauchen massenhaft viel Zeit."

„So, jetzt begreifst du wohl, daß man sich nicht nach der Strecke richten darf. Nur die Zeit zählt, die man für eine Strecke braucht, stimmt's? "

„Ja, ich glauben, das schon stimmen."

„Na also. Es kommt aufs Verhältnis an. Und wenn man die Größe von jemand mit seiner Schnelligkeit vergleicht, wo bleibt dann dein Mensch und dein Vogel und deine Eisenbahn neben einem Floh? Der schnellste Mann der Welt schafft vielleicht zehn Meilen in der Stunde — zehntausendmal soviel wie seine Größe. Aber in allen Büchern steht, daß jeder hundsgewöhnliche Floh mit einem Satz einhundertfünfzigmal so weit wie seine Länge springt. Ja, und er hüpft fünfmal in der Sekunde; das ist siebenhundertfünfzigmal seine Länge, in einer winzigen Sekunde! Er vertrödelt nämlich keine Zeit bei der Landung und beim Absprung, er macht beides gleichzeitig; das merkst du, wenn du ihn fangen willst. Und das ist das Tempo eines ganz erbärmlichen drittklassigen Flohs! Nun stell dir mal einen erstklassigen italienischen Floh vor, der seit Beginn seines Lebens das Schoßtierchen eines Grafen ist und keine Not kennt! Der hüpft dir glatt dreihundertmal so weit wie seine Länge, und das den ganzen Tag, fünfmal in der Sekunde — fünfzehnhundertmal seine Länge! Nimm mal an, ein Mensch legt in einer Sekunde das Fünfzehnhundertfache seiner Größe zurück — also, sagen wir anderthalb Meilen. Das wären neunzig Meilen in der Minute und in der Stunde weit über fünftausend Meilen! Wo bleibt da dein Mensch — und dein Vogel und deine Eisenbahn und dein Ballon? Sie kriechen wie die Schnecken, wenn man sie mit einem Floh vergleicht. Ein Floh ist ein winziger Komet!"

Jim war ganz platt, und auch ich staunte nicht schlecht.

„Herr Tom, diese Zahlen ganz genau stimmen, keine Witz? " fragte Jim.

„Ja, genau. Sie stimmen hundertprozentig."

„Also dann, ich müssen sagen, alle Achtung! So eine winzigkleine Floh! Ich früher nix viel von ihm denken, aber jetzt schon. Und er das verdienen, das sein sicher!"

„Ja, das kann man wohl sagen. Und ein Floh hat auch den meisten Verstand, wenn man's mit seiner Größe vergleicht. Man kann ihm die tollsten Sachen beibringen, und er kapiert sie schneller als irgendwer sonst. Er kann kleine Karren ziehen wie ein Pferd, und er begreift auch, wo er ihn hinziehen soll. Ja, er macht alles mögliche auf Kommando, wie ein Soldat, und das ist noch lange nicht alles. Denkt nur, man könnte einen Floh so groß wie einen Menschen züchten, und sein Grips würde mitwachsen — wo würden dann wohl die Menschen bleiben? Der Floh würde Präsident der Vereinigten Staaten, da gibt's nichts!"

„Teufel, Teufel, Herr Tom — ich nie nix wissen, daß eine Floh so gescheit sein. Nein, ich nix haben Ahnung, ganz ehrlich!"

„Wenn man die Sache genau betrachtet, ist ein Floh überhaupt das Tollste, was es gibt. Die Leute staunen über Ameisen oder Elefanten oder Lokomotiven. Alles Quatsch! An den Floh denken sie gar nicht. Dabei kann ihm niemand das Wasser reichen. Er hat Köpfchen, und außerdem ist er ziemlich eigensinnig und läßt sich nicht an der Nase rumführen. Er weiß genau, was er will; er macht nie einen Fehler. Die

Leute glauben, für einen Floh sei ein Mensch so gut wie der andere — das ist gelogen. Es gibt Leute, um die er einen weiten Bogen macht, und wenn er auch noch so Kohldampf hat; ich bin selbst so einer. Mich hat noch nie ein Floh gebissen."

„Herr Tom!"

„Das stimmt — ich mache keine Witze."

„Nein, ich nie nix so was hören."

Jim konnte es einfach nicht glauben, und mir ging's ebenso; also mußten wir herunter und im Sand Flöhe fangen, damit wir Bescheid wußten. Und Tom hatte recht! Sie stürzten sich massenhaft auf mich und Jim, aber kein einziger kam auch nur in die Nähe von Tom. Wir begriffen nicht, warum, aber so war's nun mal, das ließ sich nicht abstreiten. Tom sagte, so sei es immer; und wenn auch eine Million Flöhe um ihn herumwimmelten — sie würden ihm nichts tun.

Jim und ich mußten uns kräftig auslüften, und so stiegen wir ganz hoch, wo es kälter war; dann gingen wir wieder tiefer und flogen im Schneckentempo weiter, mit zwanzig oder fünfundzwanzig Meilen in der Stunde. Je länger wir in dieser gewaltigen weiten Wüste waren, desto mehr vergaßen wir die Zeit, und wir fühlten uns glücklich und zufrieden und hatten die Wüste richtig gern. Wieso sollten wir auch rasen wie die Verrückten? Wir zuckelten lieber gemächlich dahin und machten uns einen faulen Tag. Manchmal guckten wir durchs Fernglas, manchmal lasen wir, manchmal dösten wir nur so vor uns hin.

Wir verstanden gar nicht, daß wir vor kurzem noch so zappelig und aufgeregt gewesen waren. Ursprünglich wollten wir so schnell wie möglich landen und aus der

Kiste herauskommen, aber das hatten wir jetzt überstanden. Wir waren an den Ballon gewöhnt, fühlten uns pudelwohl und wollten nirgends anders sein. Wir waren jetzt richtig zu Hause in unserem Luftschiff; mir kam's schon fast so vor, als sei ich hier geboren, und Jim und Tom sagten das gleiche. Ich hatte immer mit gräßlichen Menschen zu tun gehabt, die dauernd an mir herumnörgelten und schimpften und fluchten und alles mögliche an mir auszusetzen hatten und mich nie in Ruhe ließen. Dauernd wollten sie was von mir, Huck tu dies, Huck tu das, und immer suchten sie Sachen heraus, die mir überhaupt nicht paßten; wenn ich mich dann drückte, ließen sie hinterher ihre Wut an mir aus, und überhaupt machten sie mir die ganze Zeit das Leben schwer. Aber hier oben am Himmel war es so still und friedlich, die Sonne lachte uns direkt ins Gesicht, wir hatten massenhaft zu essen und zu trinken und konnten schlafen, so lange wir wollten. Es wurde uns gar nicht langweilig, weil wir immer wieder was Neues sahen, aber keinen Menschen weit und breit, der an uns herummäkeln konnte; wir fühlten uns wie in den Ferien. Ich hatte es bestimmt nicht eilig, wieder in die Zivilisation zu kommen, wie sie das zu Hause nannten. Das Schlimmste an der Zivilisation ist, daß jeder, der eine schlechte Nachricht kriegt, zu dir gelaufen kommt und dir alles lang und breit erzählt, und dann fühlst du dich selber ganz elend. Die Zeitungen sind voll von lauter schlechten Nachrichten — es ist zum Heulen. So schleppt man immer den Kummer der andern Leute auch noch mit sich herum, als ob man nicht selbst schon genug hätte. Die Zeitungen können mir gestohlen bleiben mitsamt ihren schlechten Nachrichten; wenn es nach mir ginge, würde ich niemand erlauben, seine Sorgen auf andere Leute abzuladen, die er vielleicht nicht mal kennt und die vielleicht auf der andern Seite der Erde wohnen. In einem Ballon kannst du auf alles pfeifen, und es ist der schönste Fleck auf der Erde.

Dann dämmerte es, und wir machten uns ans Abendessen. Die Nacht kam, und es wurde eine der tollsten Nächte, die ich je erlebt habe. Der Mond schien ganz hell, wie die Sonne am Tag, nur sah alles noch friedlicher und sanfter aus. Einmal sahen wir einen Löwen; er stand ganz allein da, als wäre er der einzige auf der Welt, und sein Schatten auf dem Sand sah aus wie ein Tintenklecks. Stellt euch mal diese Nacht vor!

Wir lagen auf dem Rücken und unterhielten uns; in einer solchen Nacht dachte natürlich niemand ans Schlafen. Tom sagte, es sei genau wie in Tausendundeiner Nacht. Und gerade hier, wo wir jetzt waren, sei eine der schönsten Geschichten dieses Buches passiert. So starrten wir hinunter, weil es nichts Aufregenderes gibt, als sich einen Ort anzusehen, der in einem Buch vorkommt. Und Tom erzählte uns die Geschichte:

Ein Kameltreiber hatte sein Kamel verloren, da traf er einen Mann und fragte ihn: „Haben Sie vielleicht zufällig ein streunendes Kamel angetroffen? "

Der Mann sagte: „War es auf dem linken Auge blind? "

„Ja."

„Fehlt ihm oben ein Vorderzahn? "

„Ja."

70

„Lahmte es auf einem Hinterbein?"

„Ja."

„Trug es auf der einen Seite eine Ladung Hirse und auf der anderen Honig?"

„Ja, aber Sie brauchen nicht weiterzufragen – das ist es. Wo haben Sie's gesehen?"

„Ich hab's überhaupt nicht gesehen", sagte der Mann.

„Was? Überhaupt nicht gesehen? Aber Sie haben es doch genau beschrieben?"

„Na und? Wenn einer gelernt hat, richtig zu sehen, dann weiß er, daß alle Dinge ihre Sprache reden. Ich wußte, daß ein Kamel vorbeikam, weil ich seine Spuren sah. Ich wußte, daß es auf einem Hinterbein lahmte, weil es dieses Bein geschont hatte; die Spur zeigte mir, daß es damit nur leicht aufgetreten war. Ich wuß-

te, daß es auf dem linken Auge blind war, weil es das
Gras nur auf der rechten Seite abfraß. Ich wußte, daß
es oben einen Vorderzahn verloren hatte, weil ich den
Abdruck seines Gebisses im Gras sah. Auf einer Seite
rieselte Hirse herunter — das sagten mir die Ameisen;
auf der andern Seite Honig — das sagten mir die
Bienen. Ich weiß alles über Ihr Kamel, aber ich hab's
nicht gesehen."

„Weiter, Herr Tom!" rief Jim. „Das mächtig spannen-
de Geschichte!"
   „Das ist alles", sagte Tom.
   „Alles? Und was sein mit die Kamel? "
   „Weiß ich doch nicht."
   „Stehen das nicht in die Geschichte? "
   „Ich sag's dir doch: nein!"
   Jim dachte ein Weilchen nach, dann meinte er: „So
was! Wenn das nicht sein verrückteste Geschichte, die
ich im ganzen Leben hören! Gehen gerade so weit, bis
sie am spannendsten, und dann aus — bums! Das sein
doch Blödsinn, Herr Tom, so eine Schluß. Sie wirklich
nix wissen, ob die Mann seine Kamel zurückbekom-
men oder nix? "
   „Nein, verdammt nochmal!"
   Ich dachte auch, daß die Geschichte keinen Sinn
hatte, wo sie einfach so in der Mitte aufhörte, bevor
man überhaupt wußte, was los war. Aber ich sagte kein
Wort, da ich merkte, daß Tom schon mächtig sauer
war, weil Jim gleich ihre schwache Stelle entdeckt
hatte. Ich glaube, es ist nicht fair, wenn man auch
noch auf jemand herumtrampelt, der bereits am Boden
liegt.

72

Doch schon fuhr mich Tom an: „Und was hältst du von der Geschichte?"

Da mußte ich mich natürlich ausspucken, und ich sagte, mir kommt sie genauso vor wie Jim; wenn die Geschichte mittendrin aufhört, braucht man sie gleich gar nicht zu erzählen.

Tom bekam nicht mal einen Wutanfall; er schüttelte nur traurig den Kopf. „Na ja", sagte er, „manche sehen's und manche nicht — wie dieser Mann sagte. Von einem Kamel wollen wir gar nicht reden; aber wenn ein Wirbelsturm über die Wüste gefegt wäre — ihr Schwachköpfe hättet hinterher keine Spur entdeckt."

Ich wußte nicht, was er damit meinte, aber ich sagte nichts. Wahrscheinlich war es nur eine seiner Verrücktheiten — so war er oft, wenn ihn jemand drangekriegt hatte und er sich sonst nicht mehr zu helfen wußte —, aber mir machte das nichts aus. Wir hatten ihm die schwache Stelle seiner Geschichte gezeigt, da gab's nichts dran zu rütteln. Das wurmte ihn elend, glaube ich, und wenn er's auch um nichts in der Welt zugab.

8

Am nächsten Morgen frühstückten wir in aller Herrgottsfrühe; wieder herrschte herrliches Wetter, und es war noch gar nicht heiß, obwohl wir nicht sehr hoch flogen. Bei Sonnenuntergang muß man tiefer gehen, weil die Luft so schnell abkühlt; und wenn es dämmert, schwebt man dicht über dem Sand.

Wir sahen dem Schatten unseres Ballons nach, wie er über den Sand glitt; ab und zu blickten wir in die Runde, ob sich irgendwo etwas rührte, und dann sahen wir wieder dem Schatten zu. Plötzlich entdeckten wir in der Ferne viele dunkle Flecken auf dem Sand, und als wir näher kamen, waren es Menschen und Kamele, die überall verstreut herumlagen. Sie lagen ganz ruhig da, als ob sie schliefen.

Das kam uns merkwürdig vor; wir stoppten in der Luft und sahen näher hin. Sie waren alle tot. Das kalte Grausen packte uns, das könnt ihr glauben; wir flüsterten nur noch, wie bei einer Beerdigung. Dann gingen wir tiefer, und Tom und ich kletterten die Strickleiter hinunter. Es waren Männer, Frauen und Kinder. Die Sonne hatte sie ausgedörrt, ihre Haut war ganz zusammengeschrumpft und wirkte runzlig wie Leder; sie sahen aus wie die Mumien, die man in den Büchern sieht. Und trotzdem kamen sie uns noch so menschlich vor, ich kann's gar nicht sagen — als würden sie schlafen. Einige lagen auf dem Rücken und hatten die Arme ausgestreckt; andere lagen auf der Seite, wieder andere auf dem Gesicht — es sah ganz natürlich aus, obwohl man mehr von ihren Zähnen sah. Zwei oder drei saßen einfach da — eine Frau, mit gesenktem Kopf, und auf ihrem Schoß lag ein Kind. Ein Mann hatte die Hände um seine Knie geschlungen und starrte aus seinen toten Augen auf ein junges Mädchen, das ausgestreckt vor ihm lag. Er sah so traurig aus, ich hätte heulen können. Und alles war so still wie auf dem Friedhof. Der Mann hatte langes schwarzes Haar, und über die Wangen hingen ihm ein paar Strähnen. Eine leichte Brise streifte sie, und sie begannen zu zittern. Das ging mir durch und durch; er sah aus, als wackelte er mit dem Kopf.

Ein paar Menschen und Kamele waren halb vom Sand bedeckt, aber die meisten nicht; denn der Sand war dünn, und der Boden war hart. Ihre Kleider waren halb vermodert, bei manchen schimmerte das nackte Fleisch durch; wenn man einen der Stoffetzen berührte, zerfiel er sofort. Tom meinte, sie würden hier schon seit Jahren liegen.

Einige der Männer hatten rostige Gewehre, manche hatten Schwerter und ein Handtuch um den Bauch, und darin steckten Pistolen mit einem silbernen Knauf. Die Kamele hatten noch ihre Lasten auf dem Buckel, aber die Säcke waren brüchig, und ihr Inhalt war auf den Boden gerieselt. Wir glaubten nicht, daß die Toten mit ihren Schwertern noch was anfangen

konnten, also nahmen wir uns jeder eines und ein paar
Pistolen. Auch ein kleines Kästchen brachten wir an
Bord, weil es so hübsch war und so schön ausgelegt.
Dann wollten wir die Menschen beerdigen, aber wir
wußten nicht, wie wir das machen sollten. Es gab ja
nichts als Sand, und der würde natürlich wieder ver-
wehen. Wir begannen, das arme Mädchen zuzuschütten. Erst legten wir einige Schals aus einem durch-
löcherten Sack auf sie, aber als wir Sand auf sie
schütteten, wackelte der Mann wieder mit dem Kopf;
da erschraken wir und ließen es bleiben. Er schien zu
sagen, wir sollten sie nicht begraben, sonst könnte er
sie nicht mehr sehen. Ich glaube, er hatte sie gern, und
er wäre dann so einsam gewesen.

Wir gingen wieder zum Ballon und segelten davon,
und bald war der dunkle Fleck außer Sicht. Wir würden diese armen Menschen nie im Leben wiedersehen.
Die ganze Zeit grübelten wir, was ihnen passiert sein
konnte, aber wir kamen nicht drauf. Zuerst dachten
wir, sie hätten sich verirrt und seien verdurstet; aber
Tom sagte, dann hätten sich die Geier und die andern
wilden Tiere über sie hergemacht. Da gaben wir's
schließlich auf und nahmen uns fest vor, nie wieder
dran zu denken, weil es uns so traurig machte.

Dann öffneten wir das Kästchen, und darin waren
massenhaft Schmuck und Juwelen und ein paar
Schleier, mit purem Gold besetzt, wie wir sie bei den
toten Frauen gesehen hatten. Wir überlegten, ob wir
nicht umkehren und ihnen das Kästchen zurückgeben
sollten; aber Tom war dagegen: die Gegend stecke
voller Räuber, und die würden es garantiert klauen —
und dann wäre es doch eine Sünde von uns, sie in

Versuchung zu bringen. Also flogen wir weiter, und ich dachte im stillen, hätten wir doch alles genommen, dann würden die Räuber überhaupt nicht in Versuchung kommen.

Zwei Stunden lang hatten wir in der Hitze geschmort, und jetzt waren wir natürlich schrecklich durstig und machten uns über das Wasser her. Aber das Wasser war verdorben und schmeckte bitter, und es war so heiß, daß wir uns den Mund verbrannten. Wir konnten es unmöglich trinken. Es war Wasser vom Mississippi, das beste Wasser auf der Welt, und wir konnten es nicht trinken! Wir rührten den Schlamm auf, um zu sehen, ob das nichts half; aber es half nichts.

Vorher hatten wir gar keinen so riesigen Durst gehabt, weil wir immer nur an die armen Menschen in der Wüste dachten. Aber jetzt waren wir durstig; und sobald wir wußten, daß wir nichts trinken konnten, waren wir gleich zehnmal durstiger. Wir dachten, wir würden bald die Zunge heraushängen und lechzen wie ein Hund.

Tom sagte, wir müßten uns schleunigst nach einer Oase umsehen, sonst garantiert er für nichts mehr. Und wie wir uns umsahen! Wir starrten so lange durchs Fernglas, bis uns vom Halten die Arme weh taten. Weit und breit keine Oase. Zwei Stunden — drei Stunden — wir guckten uns fast die Augen aus dem Kopf, aber wir sahen nur Sand, nichts als Sand, und darüber flimmerte die Hitze.

Junge, Junge! Ihr habt keine Ahnung, was Durst ist, bevor ihr so was erlebt habt. Zuletzt machte mich das dauernde Gaffen fast wahnsinnig, und ich ließ mich auf den Kasten sinken und streckte alle viere von mir. Da ließ Tom plötzlich einen Freudenschrei los. Ein See! Ja, ein See, mit unheimlich viel Wasser, das in der Sonne glitzerte. An seinem Ufer wiegten sich Palmen, und ihre Schatten tanzten im Wasser — es war wie im Märchen. Der See war noch ziemlich weit entfernt, aber was machte das schon! Wir brausten mit hundert Sachen darauf los und dachten, wir hätten es in ein paar Minuten geschafft. Da hatten wir uns aber ganz schön geschnitten; nach einer Viertelstunde kam uns der See immer noch genauso weit vor. Wir kamen einfach nicht näher, es war wie verhext — und dann war er plötzlich verschwunden.

Tom kriegte Stielaugen und war ganz entgeistert; endlich stieß er hervor: „Menschenskinder — eine Fata Morgana!"

Und das in einem Ton, als würde er sich darüber freuen. Ich freute mich überhaupt nicht. Ich sagte: „Kann schon sein — mir ist es wurst, wie das Ding heißt. Ich möchte nur wissen, was damit passiert ist."

Jim zitterte am ganzen Leib, und vor lauter Angst brachte er kein Wort heraus. Aber wenn er was herausgebracht hätte, hätte er das gleiche gefragt.

„Was aus ihr geworden ist?" rief Tom. „Ihr seht doch selbst — sie ist verschwunden!"

„Ja, das seh ich; aber wohin ist sie verschwunden?"

Tom sah mich ganz scharf an und sagte: „Also, wohin sollte sie wohl verschwinden? Weißt du nicht, was eine Fata Morgana ist?"

„Nein — was denn?"

„Eine Fata Morgana ist — also, sie ist nichts wie Einbildung. Das ist alles."

Das war mir aber doch zu bunt. „Warum redest du einen solchen Quatsch daher, Tom Sawyer? Hab ich nicht den See gesehen? "

„Ja, du denkst, du hast ihn gesehen."

„Ich denke gar nichts – ich habe ihn gesehen."

„Und ich sag dir, du hast ihn nicht gesehen – weil er gar nicht da war."

Jim war ganz verdattert und meinte schüchtern: „Herr Tom, keine solche Sachen sagen, bitte, wo alles so schlimm sein. Das sein gefährlich, für Sie und für uns. Die See vorhin da sein – ich sie genauso sehen, wie ich jetzt Sie und Huck sehen."

„Na bitte", sagte ich, „und Tom hat ihn ja auch gesehen – sogar als erster."

„Ja, Herr Tom, das stimmen. Das sein die Beweis. Sie nix können sagen, daß nix dasein. Wir alle die See sehen."

„Ein schöner Beweis! Und wie beweist er das? "

„Genauso wie vor die Gericht und überall, Herr Tom. Eine Mann allein sein vielleicht besoffen oder gucken nix richtig, und alles gar nix stimmen; und zwei vielleicht auch. Aber wenn drei sehen das gleiche, dann es stimmen, besoffen oder nix. Das sein ganz bestimmt so, und Sie das auch wissen, Herr Tom."

„Ich weiß das überhaupt nicht. Vierzigtausend Millionen Leute sehen jeden Tag, daß die Sonne von einer Seite des Himmels zur anderen wandert. Ist das vielleicht ein Beweis, daß die Sonne das wirklich tut? "

„Sicher. Und außerdem, man gar nix das müssen beweisen. Alle Leute, wo bißchen gescheit, das schon lange wissen. Da oben sein die Sonne und wandern über die Himmel, wie schon immer."

„Was meinst du, Huck", fragte mich Tom, „steht die Sonne still?"

„Tom Sawyer, warum fragst du so blöd? Sie steht natürlich nicht still — das sieht jeder, der keine Tomaten auf den Augen hat."

„Ich geb's auf. Ich bin mit zwei Vollidioten zusammen, die nicht mehr wissen als der gescheiteste Universitätsprofessor vor drei- oder vierhundert Jahren. Ich würde mich schämen, Huck — damals gab's Päpste, die genausoviel wußten wie du."

Das war nicht fair, und ich sagte ihm das auch. „Du solltest Beweise bringen und nicht mit Dreck um dich werfen."

„Wer wirft mit Dreck um sich?"

„Du!"

„So, so — man wirft also mit Dreck um sich, wenn man einen Dorftrottel wie dich mit einem Papst vergleicht, und wenn's auch nur der mickrigste wäre! Das ist eine Ehre für dich, du Schwachkopf! Der Papst wird dabei mit Dreck beworfen, nicht du; man könnte gar nichts sagen, wenn er furchtbar drüber fluchen würde — bloß fluchen Päpste nicht, jedenfalls heute nicht mehr."

„Haben sie vielleicht früher geflucht?"

„Im Mittelalter? Und ob! Sie haben —"

„Nein — das ist doch nicht dein Ernst?"

Da sprudelte es aus Tom wie ein Wasserfall. Er schwang eine richtige Rede, wie er es manchmal tut, wenn er so seine Launen hat. Ich verstand die Hälfte nicht, weil es wie aus einem Buch war; es war schwer zu behalten, und es kamen Worte drin vor, die ich kaum kannte, und weil sie so verteufelt schwer zu

buchstabieren waren, ließ ich mir's von Tom aufschrei-
ben.

„Sie fluchten wie der Teufel", sagte Tom. „Das
heißt aber nicht, daß sie wie die dummen Bauern
fluchten und daß sie die gleichen Schimpfwörter wie
sie verwendeten. Oder sie hatten vielleicht schon die
gleichen Wörter, aber sie machten viel bessere Flüche
draus, weil sie's von den größten Meistern gelernt
hatten. Sie wußten, wie man so was macht; nicht wie
ein Bauer, der hier und dort was aufschnappt und dem
niemand was Ordentliches beibringt. Aber die Päpste
wußten Bescheid. Sie fluchten nicht einfach so drauf-
los wie ein dummer Bauer, der irgendwo anfängt und
irgendwo aufhört, und es kommt doch nichts Gescheites dabei raus — nein, sie fluchten mit Köpfchen,
versteht ihr? Sie fluchten ernst und feierlich, es war
ganz furchtbar. Da war nichts zu machen — da konnte
man nicht einfach drüber lachen, wie man lacht, wenn
so ein Viehtreiber loslegt. So ein Bauer könnte dich
eine ganze Woche lang verfluchen, und es würde dir
nicht mehr ausmachen als das Geschnatter von Gänsen; aber es war ganz was anderes, wenn früher ein
Papst, der es gelernt hatte, seine saftigsten Flüche
zusammenkramte und auf einen König losfuhr oder
auf ein ganzes Königreich oder auf einen Ketzer oder
einen Juden oder sonst jemand, der eine Abreibung
nötig hatte. Ein Papst machte nicht bloß Blabla; nein,
er knöpfte sich diesen König oder sonst einen Halunken gründlich vor und fluchte ihn in Grund und
Boden. Er verfluchte ihn bis in seine Haarspitzen und
seine Schädelknochen, bis in die Gehörgänge seiner
Ohren und die Pupillen seiner Augen, bis in den Atem

seiner Nüstern, in Haut und Knochen, Füße und Hände, Fleisch und Blut; er verfluchte seine Frau und seine Kinder, seine Freunde und Bekannten, er verfluchte jeden, der ihm zu essen gab, jeden, der ihn in sein Haus ließ, jeden, der ihn in seinem Bett schlafen ließ, jeden, der ihm was zum Anziehen gab, und wenn's nur Lumpen waren. Junge, Junge — das waren noch Zeiten! Kein Mensch kann das heute noch. Der arme Bauer, der glaubt, er kann fluchen — im Mittelalter hätte ihn jeder mittelmäßige Bischof um Längen geschlagen!"

„Also", sagte ich, „deshalb braucht man nicht gleich zu heulen. Das können wir schon noch verkraften. Aber sag mal, können die Bischöfe immer noch gut fluchen? "

„Ja, sie lernen es, das gehört sich so, wegen dem guten Ton. Sie müssen — wie sagt man? — schöne Geister sein, und dazu muß man fluchen können. Obwohl es ihnen überhaupt nichts nützt, genausowenig wie den dummen Gänsen, die Französisch lernen. Aber ein Mädchen aus Missouri muß französisch quasseln, und wenn sie nie im Leben einen Franzosen sieht; und ein Bischof muß eben fluchen können."

„Und heute fluchen die Bischöfe überhaupt nicht mehr? "

„Nein — oder nur ganz selten. Vielleicht fluchen sie in Peru, aber bei uns haben sie ausgeflucht. Vielleicht, weil sich niemand mehr drum schert — die Leute würden nicht mehr drauf geben als auf das Geschimpfe eines Bauern. Ja, heute sind die Leute so gescheit wie die Heuschrecken im Mittelalter."

„Die Heuschrecken? "

„Ja. Im Mittelalter, wenn die Heuschrecken über die Felder herfielen und das Getreide fraßen, ging der Bischof hinaus und machte ein feierliches Gesicht und verfluchte sie in Grund und Boden. Genau, wie er's mit einem Juden machte oder mit einem König oder irgendeinem Halunken."

„Und was taten die Heuschrecken?"

„Das ist es ja! Sie lachten sich ins Fäustchen und fraßen ganz gemütlich weiter. Im Mittelalter war der Unterschied zwischen einem Menschen und einer Heuschrecke, daß eine Heuschrecke kein Idiot war."

„Dadada!" brüllte da Jim. „Die See! Die See sein wieder da! Was sagen jetzt, Herr Tom?"

Ja, ob ihr's glaubt oder nicht, der See war plötzlich wieder da — am Rand der Wüste, mit Palmen und allem Drum und Dran.

„Bist du jetzt zufrieden, Tom Sawyer?" sagte ich ganz stolz.

„Ja, ich bin zufrieden. Es ist nämlich gar kein See da."

„Sie nix dürfen solche Sachen sagen", rief Jim. „Ich haben Angst, wenn ich das hören. Es sein so heiß, und Sie sein so durstig, daß Sie gar nix wissen, was Sie sagen. Müssen hingucken! Sein das nicht wunderbare See? Ich es kaum aushalten, bis wir dort sein, ich solche Durst haben!"

„Da kannst du noch lange warten, da hilft nichts — es ist wirklich kein See dort."

„Also, Jim", sagte ich, „du siehst jetzt scharf hin und guckst nicht mehr weg, und ich mach's genauso."

„Sicher ich nix weggucken — ich gar nix können, und wenn ich wollen."

Wir schossen wie der Teufel darauf zu — aber wir kamen dem verdammten See keinen Millimeter näher, und plötzlich war er wieder verschwunden. Vor unsern Augen! Jim fiel beinah in Ohnmacht. Er schnappte wie ein Fisch auf dem Trockenen, und endlich stammelte er: „Das sein eine Geist, Herr Tom, das sein eine Geist! Eine Geist von eine See! Ich nix mehr wollen sehen, nie nix mehr! Früher das sein eine See, und dann was passieren, und der See sein tot. Wir sehen seine Geist, zweimal, das sein die Beweis. Die Wüste sein verflucht, ja verflucht, todsicher. Fort von hier, Herr Tom, ich wollen fort — Geist kommen wieder in die Nacht, wir alle schlafen, Gefahr — "

„Ach was, selber Geist! Wir bilden uns den See nur ein, und das macht nur die Luft und die Hitze und der Durst. Wenn ich — gib mir das Fernglas!"

Er guckte durch und rief: „Ich sehe Vögel! Es wird Abend, vielleicht fliegen sie zur Tränke. Wir müssen ihnen nach. Tiefer gehen! Ja — etwas höher — noch höher!"

Wir drosselten das Tempo etwas, damit wir nicht an ihnen vorbeischossen, und hielten eine Viertelmeile Abstand. Wir ließen sie nicht aus den Augen; aber sie flogen und flogen, und weit und breit entdeckten wir kein Wasser. Als wir anderthalb Stunden hinterhergondelt waren, dachten wir, wir seien hereingefallen. Ich kann euch gar nicht schildern, wie durstig wir waren!

Da sagte Tom: „Einer von euch nimmt jetzt das Fernglas, und wir sehen nach, was los ist."

Jim sah als erster durch und ließ einen fürchterlichen Schrei los. Er wurde ganz bleich und sackte fast zusammen. „Sie sein wieder da!" winselte er. „Sie sein wieder da! Ich müssen sterben, ganz sicher! Wenn eine Mensch dreimal eine Geist sehen, dann er müssen sterben. Ich arme Jim!"

„Was denn für ein Geist, du Trottel? "

„Die Geist von die See!"

Jim wollte auf keinen Fall mehr durchs Fernglas sehen, und auch ich bekam's mit der Angst zu tun, weil es stimmte, was er sagte. Jim kannte sich aus mit Geistern, und deshalb wollte auch ich nicht hinsehen. Wir bettelten Tom, er solle umkehren und woanders hinfliegen, aber er wollte nicht und sagte, wir seien abergläubische Schafsköpfe. Wenn du so weitermachst, wird es dich eines Tages noch erwischen, dachte ich; Geister lassen sich nicht so beleidigen. Sie hören sich's vielleicht eine Weile mit an, aber nicht zu lange. Jeder, der eine Ahnung von Gespenstern hat, weiß, daß sie schnell beleidigt sind – und dann geht's einem ziemlich dreckig.

Wir waren jetzt alle mucksmäuschenstill, Jim und ich aus Angst, Tom, weil er zu tun hatte. Schließlich stoppte er den Ballon und sagte: „Jetzt könnt ihr glotzen, ihr Hornochsen!"

Ich schielte ängstlich über Bord, und ich sah Wasser. Ja, wirklich Wasser – direkt unter uns! Klar und blau und kühl und tief, und eine leichte Brise wehte und machte ein paar Wellen – noch nie hab ich was Schöneres gesehen. Und ringsum waren grüne Ufer, Wiesen mit Blumen und große, schattige Bäume – ich hätte fast geheult vor Freude.

Jim heulte tatsächlich und tanzte wie ein Verrückter herum, so glücklich war er. Ich hatte gerade Wache,

und so mußte ich am Steuer bleiben; aber Tom und Jim kletterten hinunter, und jeder trank ein ganzes Faß voll; mir brachten sie einen großen Kübel mit. Ich hab in meinem Leben schon viel gute Sachen probiert – aber noch nie hat mir etwas so geschmeckt wie dieses Wasser. Dann kletterten sie wieder hinunter und badeten, und dann kam Tom herauf und löste mich ab. Im Nu war ich bei Jim, und wir planschten wie die Wilden im Wasser. Später schob Jim Wache; ich machte mit Tom einen Wettlauf und einen Boxkampf – ich glaube nicht, daß ich mich in meinem ganzen Leben schon mal so wohlgefühlt habe. Es war nicht mehr so heiß, weil es Abend wurde, und die Kleider hatten wir sowieso hinter einen Busch geschmissen. Kleider sind schon recht, wenn man in die Schule oder in die Stadt geht, aber hier brauchte man sie nicht.

„Löwen!" brüllte Jim auf einmal. „Löwen! Herr Tom, Huck! Schnell rennen!"

Das ließen wir uns nicht zweimal sagen. Wir rannten splitternackt zum Ballon und packten die Strickleiter. Jim war ganz aus dem Häuschen und drehte völlig durch — so war er immer, wenn irgendwas passierte. Er hätte bloß die Leiter ein bißchen vom Boden hochziehen brauchen, und die Viecher hätten uns nie im Leben erwischt — aber nein, er brauste mit Volldampf los, und wir schaukelten wie wild hin und her und fielen fast hinunter. Endlich merkte er, was für einen Unsinn er gemacht hatte, und stoppte in der Luft; aber dann wußte er nicht mehr weiter, und da hingen wir nun an der Leiter und schwankten im Wind. Aber Tom hievte sich an Bord, griff nach dem Steuer und flog zum See zurück, um den sich die Raubtiere wie ums Lagerfeuer versammelten. Ich dachte schon, er hätte auch den Verstand verloren, denn er wußte doch genau, daß ich einen zu großen Bammel hatte, um hochzuklettern — wollte er mich vielleicht den Löwen und Tigern zum Fraß vorwerfen?

Er ging bis auf zehn Meter zum See herunter und stoppte genau in der Mitte. Dann brüllte er: „Loslassen!"

Vor lauter Schreck ließ ich los und schoß wie der Teufel in die Tiefe, mit den Füßen voraus. Es platschte, die Wellen schlugen über mir zusammen, und ich versank in der schrecklichen Tiefe. Als ich wieder auftauchte und nach Luft schnappte, hörte ich Tom rufen: „Leg dich auf den Rücken und laß dich im Wasser treiben, bis du wieder Mut hast, dann tauch ich die Leiter ins Wasser, und du kannst raufklettern."

Tom wußte schon, was er wollte — ja, er hatte eben Köpfchen. Wäre er irgendwo auf dem Sand gelandet, wären die Viecher sofort gerannt gekommen, und dann hätten sie uns vielleicht so lange gejagt, bis ich abgestürzt wäre. Aber so konnte ich nach einer Weile ganz gemächlich nach oben klettern.

Inzwischen hatten die Raubkatzen unsere Kleider entdeckt und wollten sie untereinander verteilen; aber sie kriegten bald Streit, weil alle dachten, sie hätten einen größeren Anteil verdient. Sie fletschten die Zähne und knurrten sich an, und dann fuhren sie aufeinander los. So was habt ihr noch nie erlebt! Es waren vielleicht fünfzig Biester, und jetzt waren sie alle auf einem Haufen und schnaubten und brüllten und schnappten und bissen und rissen. Köpfe und Beine und Schwänze wirbelten wild durcheinander, und man konnte beim besten Willen nicht sagen, was wem ge-hörte – man sah sie sowieso nur durch eine Staub-wolke. Als sie endlich aufhörten, lagen einige tot da, andere humpelten mühsam davon, und der Rest lagerte sich ums Schlachtfeld. Sie leckten ihre Wunden und glotzten zu uns herauf. Mir kam's so vor, als wollten sie uns einladen, herunterzukommen und ein bißchen Spaß mit ihnen zu haben, aber dazu hatten wir keine Lust.

Von unsern Kleidern war kein Fetzen übrig. Auch der letzte Rupfen war im Magen dieser Biester, aber ich glaube, es bekam ihnen nicht besonders; überall waren Knöpfe dran, und in den Hosentaschen steckten Messer, Pfeifentabak, Nägel, Kreide, Murmeln und Haken und was weiß ich noch alles. Aber ihre Ver-dauung war mir ziemlich schnuppe; ich war mächtig sauer, daß unsere Kleider futsch waren. Der Professor hatte zwar eine Menge Sachen, aber darin konnten wir uns nirgends blicken lassen, wenn wir mal wieder Menschen trafen; die Hosenbeine waren so lang wie ein Tunnel, und die Jacken und Mäntel auch. Doch wir hatten Nähzeug an Bord, und Jim hatte in seinem Leben schon alles mögliche geflickt und behauptete, er könne uns ein paar Anzüge zurechtstutzen.

9

Wir wollten nochmals kurz hinuntergehen, aber nicht, um den Löwen eine Freude zu machen. Die meisten Lebensmittel des Professors waren in Dosen, der Rest war frisch. Wenn man sich in der Sahara ein Beefsteak schmecken lassen will, muß man in der kühlen Luft bleiben. Unser Wasser war verdorben, als wir uns so lange bei der armen Karawane aufgehalten hatten, und unser Fleisch war jetzt genau so, wie es die Engländer mögen; aber für uns Amerikaner stank es bestialisch. Also wollten wir sehen, ob auf dem Löwenmarkt dort unten was zu holen war.

Wir zogen die Leiter herauf und gingen tiefer, bis wir grade noch so weit über der Erde waren, daß uns die Meute nicht auf den Pelz rücken konnte. Dann ließen wir eine Schlinge hinab, wie ein Lasso, und hievten einen toten Löwen nach oben — einen jungen, zarten — und dann noch einen jungen Tiger. Mit dem Revolver mußten wir über die Biester hinwegballern, weil sie uns immer helfen wollten und sich ziemlich dußlig dabei anstellten.

Wir säbelten uns von beiden die besten Brocken herunter und behielten auch die Felle; den Rest warfen wir über Bord. Dann schnipselten wir was von dem frischen Fleisch ab und steckten es als Köder an die Angelhaken des Professors, weil wir im See fischen wollten. Wir flogen ein Stück über das Wasser und stoppten an einer schönen Stelle. Und tatsächlich fingen wir massenhaft Fische! Ich hätte nie gedacht, daß ich mal mitten in der Sahara angeln würde. Ihr könnt

euch denken, daß wir ein tolles Abendessen hatten: Löwen- und Tigersteak, gebratener Fisch und heißes Maisbrot. Es gibt nichts Besseres!

Zum Nachtisch gab's Obst; das hatten wir aus dem Wipfel eines riesigen Baumes geholt. Der Baum hatte einen langen, schlanken Stamm ganz ohne Zweige, und oben ging er auseinander wie ein Federwisch. Es war natürlich eine Palme; das sieht man sofort, wenn man schon mal eine auf einem Bild gesehen hat. Wir suchten nach Kokosnüssen, aber wir fanden keine. Es hingen nur so komische Büschel dran, wie Früchte, und Tom sagte, das seien Datteln, weil er es in Tausendundeiner Nacht gelesen hatte. Wir wußten's aber nicht genau, und sie konnten genausogut giftig sein; also warteten wir ab, ob die Vögel daran pickten. Als die Vögel daran pickten, aßen wir sie auch, und sie schmeckten sehr lecker.

Nun kamen riesige Vögel dahergeflogen und stürzten sich auf die toten Biester. Sie waren ganz schön mutig; sie knabberten schon am Ende eines toten Löwen, während sich noch ein anderer Löwe von der andern Seite durchfraß. Wenn der Löwe den Vogel verscheuchte, nützte ihm das sogut wie nichts; denn sobald er sich wieder an sein Fressen heranmachte, war der Vogel wieder da.

Die großen Vögel kamen von überallher — man sah sie schon mit dem Fernglas, wenn man mit dem bloßen Auge noch nicht mal ihren Schatten entdeckte. Das Fleisch war noch zu frisch, um zu stinken — jedenfalls stank es noch nicht so, daß es ein Vogel auf fünf Meilen Entfernung roch. Da meinte Tom, die Vögel würden nicht vom Gestank angelockt — sie mußten es sehen. Junge, Junge, hatten die vielleicht scharfe Augen! Tom sagte, ein Rudel Löwen sieht auf fünf Meilen nicht größer als ein Fingernagel aus. Ich konnte mir gar nicht vorstellen, wie die Vögel merkten, daß der Fingernagel ein Haufen Löwenfleisch war.

Es kam uns nicht besonders appetitlich vor, wie die Löwen ihre eigenen Brüder und Schwestern fraßen, und Tom und ich dachten, sie sind vielleicht gar nicht verwandt. Aber Jim sagte, das macht ihnen gar nichts aus. Für eine Sau seien ihre Jungen der größte Leckerbissen, und genauso sei's bei einer Spinne; wieso sollte es dann bei einem Löwen anders sein? Na ja, ein Löwe würde vielleicht nicht seinen eigenen Vater fressen, aber seinen Schwager könnte er schon mal probieren, wenn er Kohldampf hatte, und seine Schwiegermutter sei für ihn bestimmt ein Festtagsbraten. Doch so genau wußte es Jim auch nicht, und so ließen wir's dabei.

Nachts ist es sonst so still in der Wüste, aber in dieser Nacht gab's ein Konzert. Eine ganze Menge Tiere kamen zum Abendessen; schmierige Kläffer waren dabei, die Tom für Schakale hielt, und gefleckte Teufel; das waren sicher Hyänen. Die ganze Bande jaulte jämmerlich, keine Minute war Ruhe. Ihre Schatten huschten im fahlen Mondlicht hin und her; ihr könnt euch gar nicht denken, was das für ein Bild war! Wir ließen ein Seil hinunter und machten es an der Spitze eines Baumes fest; so brauchten wir keine Wache und konnten uns alle schlafen legen. Ich stand aber ein paarmal auf und sah zu den Viechern hinunter und hörte ihrer Katzenmusik zu. Es war, als hätte ich einen Logenplatz in der Tierschau, und ich dachte, das darf ich nicht verschlafen.

92

In der Dämmerung gingen wir wieder fischen, und dann faulenzten wir den ganzen Tag im Schatten auf einer Insel; einer von uns schob immer Wache, denn es konnte ja sein, daß eines der Biester auf die Idee kam, zur Abwechslung mal einen Ehronauten zu fressen. Am nächsten Tag wollten wir weiter, aber wir konnten uns einfach nicht losreißen — so schön war es.

Aber einen Tag später war's dann soweit. Als wir schon hoch am Himmel waren und langsam nach Osten segelten, sahen wir noch lange auf unsere Oase zurück, bis sie nur noch ein kleiner Fleck in der Wüste war. Ich fühlte mich so elend, als sagte ich zu einem Freund ade, den ich nie im Leben wiedersehen würde.

Jim dachte ein bißchen nach, und schließlich sagte er: „Herr Tom, ich glauben, wir sein bald am Ende von der Wüste."

„Warum denn das? "

„Ja, wir doch schon so lang drüber wegfliegen, und sein doch meistens nur Sand. Die Sand müssen doch auch mal ausgehen!"

„Quatsch! Da gibt's noch massenhaft Sand, da brauchst du keine Angst haben!"

„Oh, ich keine Angst haben, Herr Tom, ich mich nur wundern, das sein alles. Gott im Himmel haben viel Sand, ich nix zweifeln; aber er nix müssen so verschwenden die Sand; und wenn jetzt noch mehr Sand kommen, dann sein das doch Verschwendung!"

„Was redest du denn da für einen Mist daher! Die Wüste fängt jetzt erst richtig an. Hör mal her: Die Vereinigten Staaten sind doch ein ziemlich großes Land — was, Huck? "

„Ja", sagte ich, „ich glaube, es gibt kein größeres."

„Also", stellte Tom befriedigt fest. „Diese Wüste ist ungefähr so groß wie die Vereinigten Staaten, und mit der Sahara könnte man die Vereinigten Staaten zudecken wie mit einer Decke. Oben in Maine würde ein kleiner Zipfel rausschauen und im Nordwesten, und Florida würde unten wie der Schwanz einer Schildkröte rauskommen, das ist alles. Vor ein paar Jahren haben wir den Mexikanern Kalifornien abgenommen, und so gehört uns jetzt ein Teil der Pazifikküste; und wenn man uns so mit der Sahara zudeckt, daß sie am Pazifik aufhört, würde sie über die ganzen Vereinigten Staaten gehen und noch sechshundert Meilen über New York hinaus ins Wasser hängen."

Ich staunte gewaltig. „Meine Fresse!" sagte ich. „Kannst du das auch beweisen, Tom?"

„Aber sicher. Hier ist der Beweis: die Landkarte. Ich hab's genau nachgerechnet, und du kannst dir's ja selbst ansehen. Von New York bis zum Pazifik sind es 2600 Meilen; vom einen Ende der Sahara bis zum anderen sind's 3200. Die Vereinigten Staaten sind 3 600 000 Quadratmeilen groß; die Sahara 4 162 000. Wenn man sich eine Decke so groß wie die Wüste macht und sie in passende Stücke zerschnipselt, kann man auch das letzte Fleckchen der Vereinigten Staaten zudecken, und unter den Rest gehen noch England, Schottland, Irland, Frankreich, Dänemark und ganz Deutschland. Da staunst du, was?"

„Allerdings", erwiderte ich. „Ich bin ganz platt. Das beweist, daß sich der liebe Gott für die Sahara genauso anstrengte wie für die Vereinigten Staaten und diese andern Länder. Ich schätze, er hat mindestens zwei Tage gebraucht, bevor er mit der Sahara fertig war."

94

Aber da sagte Jim: „Huck, das nix sein vernünftig. Ich glauben, er haben diese Wüste überhaupt nix gemacht. Du nur mal gucken! Zu was sein eine Wüste gut? Zu gar nix. Lohnen sich überhaupt nix. Ich haben recht, Huck?"

„Ja, ich glaube schon."

„Ich haben recht, Herr Tom?"

„Ja, schon gut — sprich weiter!"

„Also, wenn was nix taugen, dann sein für die Katz, oder?"

„Ja, natürlich."

„Also gut. Und Sie vielleicht meinen, die liebe Gott machen was für die Katz? Oder?"

„Ja, wenn du so fragst — nein."

„Gut. Warum er dann machen eine Wüste?"

„Jetzt sag's schon."

„Herr Tom, ich meinen, er sie gar nix machen — ich meinen, er nix Wüste wollen, nix dran denken im Traum. Und ich können beweisen. Ich glauben, es sein so, wie wenn man bauen eine Haus. Immer sein Menge Dreck und Zeug übrig. Also, und was tun mit die Dreck? Auf die Abfall werfen. Also, genauso machen es die liebe Gott. Er machen die Welt, und er machen erst eine Haufen Felsen und dann eine Haufen Erde und dann eine Haufen Sand. Dann erst richtig anfangen. Er nehmen ein paar Felsen und Erde und Sand und pappen sie zusammen und sagen, das sein Deutschland; und er machen eine Zettel hin und legen es zum Trocknen. Und dann er machen die Vereinigten Staaten, genauso, und alle andere Länder auch. Er schaffen so bis Samstag abend, und dann er sehen sich um und denken, Donnerwetter, das sein aber mächtig gute Welt – für die kurze Zeit. Aber da er merken, daß Felsen und Erde ganz verbraucht, aber noch eine Menge Sand übrig; was sollen er bloß machen mit die Sand? Müssen auf die Abfallhaufen, und er suchen eine freie Platz und finden diese hier. Da freuen er sich mächtig und sagen zu die Engel, sie sollen die Sand hierherschütten. So ich mir die Sache vorstellen; er die Sahara gar nix gemacht haben, sein nur so zufällig geworden."

Ich sagte, das sei eine sehr gute Idee, und ich glaube, es war die beste, die Jim in seinem ganzen Leben hatte. Tom sagte das auch; er meinte nur, das Dumme an einer Idee sei, daß sie nichts beweist. Sie sei nur so eine Theorie. Ich weiß nicht genau, was das ist; aber Tom sagte, das macht man immer, wenn man etwas beweisen will und es nicht kann.

„Da ist noch was Dummes an den Theorien", sagte er dann. „Wenn man genau nachsieht, haben sie immer einen schwachen Punkt. Genauso ist's mit der Theorie von Jim. Ihr wißt doch, daß es viele Millionen Sterne gibt. Wie kommt es dann, daß das Material für die Sterne immer genau aufging und nichts übrigblieb? Wieso gibt es dort keine Sandhaufen? "

Aber Jim sagte ganz lässig: „Und was sein dann die Milchstraße? Das ich wollen wissen. Was sein die Milchstraße? "

Das war ein Mordsding, das ist meine Meinung. Ihr könnt natürlich drauf pfeifen und anders drüber denken, aber mich kann niemand davon abbringen: Es war ein Mordsding. Und Tom ging gleich k.o.; er brachte kein Wort mehr heraus. Er sah aus, als hätte ihm jemand eine Ladung Reißnägel in den Hintern gejagt. Langsam kam er wieder zu sich und sagte, wenn er mich und Jim so ansieht, denkt er, er kann sich genausogut mit einem Stockfisch unterhalten. Aber das kann jeder sagen, und das tun die meisten, wenn ihnen nichts Besseres einfällt. Ich glaube, Tom hatte einfach die Nase voll.

Dann redeten wir wieder über die Größe der Wüste, und je mehr wir darüber redeten, desto großartiger kam sie uns vor. Tom fand schließlich heraus, daß sie genauso groß war wie das Chinesische Reich, und er zeigte uns China auf der Karte. Ich hatte nie gedacht, daß es so was Riesiges gibt; es war einfach toll, wenn man sich das ausmalte. Ich sagte: „Also, ich hab nie gewußt, wie wichtig die Sahara ist."

Aber da ging Tom schon wieder hoch. „Wichtig! Die Sahara wichtig! Da sieht man wieder, wieviel Grips du hast. Wenn etwas groß ist, dann ist es bei dir gleich wichtig. Sieh dir doch mal England an! England ist das wichtigste Land der Welt, und trotzdem könnte China

es in die Hosentasche stecken; und man müßte verteufelt genau suchen, wenn man es wiederfinden wollte.
Und die riesige Sahara ist viel weniger wichtig als das
winzige Rhode Island. Mein Onkel Abner, der war
Pfarrer, und was für einer! Also, mein Onkel Abner
sagte immer, was wäre der Himmel, wenn man ihn
nach seiner Größe beurteilt? Er sagte immer, der
Himmel ist das Rhode Island des Jenseits."

In der Ferne tauchte ein kleiner Hügel auf, und es
sah aus, als sei er das Ende der Welt. Tom grapschte
ganz aufgeregt nach dem Fernglas und sah durch.
Plötzlich rief er: „Das ist ja — ja, das ist er! Darauf hab
ich mich schon lange gefreut! Das ist der Hügel, in den
der Derwisch den Mann führte und wo er ihm alle
Schätze der Welt zeigte."

Da wurden auch wir ganz zappelig und wollten von
Tom die Geschichte hören. Tom begann zu erzählen.
Es war eine Geschichte aus Tausendundeiner Nacht.

10

Tom erzählte also:

Es war ein schrecklich heißer Tag, und ein Derwisch
trottete allein durch die Wüste. Er war schon tausend
Meilen gegangen, und da fühlte er sich natürlich
schrecklich hungrig und durstig und müde und überhaupt ganz elend. Und genau hier, wo wir jetzt drüber-
fliegen, lief ihm ein Kameltreiber mit hundert Kame-

98

len über den Weg. Da fragte er ihn, ob er ihm nichts geben kann, aber der Kameltreiber sagte, er hat nichts.

Der Derwisch fragte: „Sind das nicht deine Kamele?"

„Ja", sagte der Kameltreiber, „sie gehören mir."

„Hast du Schulden?"

„Ich und Schulden? Nein, um Gottes willen!"

„Also", sagte der Derwisch, „wenn ein Mann hundert Kamele hat und keine Schulden, dann ist er reich. Und nicht nur reich, sondern steinreich. Hab ich recht?"

Der Kameltreiber mußte zugeben, daß er recht hatte.

Da sagte der Derwisch: „Allah hat dich reich gemacht, und er hat mich arm gemacht. Allah ist groß, und er weiß, was er tut. Aber er will auch, daß die Reichen den Armen helfen. Du hast dich von deinem Bruder in der Not gewandt, und Allah wird dich strafen."

Das fuhr dem Kameltreiber schwer in die Knochen; aber er war so geizig, daß er keinen Pfennig hergeben wollte. Also begann er zu jammern und sagte, es sind schlechte Zeiten; über seine Reise sagte er nicht viel, obwohl er einen fetten Gewinn gemacht hatte.

So fing der Derwisch wieder an: „Also gut, das ist deine Sache, Aber ich glaube, diesmal hast du einen Fehler gemacht. Du hast dir eine tolle Chance entgehen lassen."

Jetzt wurde der Kameltreiber natürlich neugierig und wollte wissen, was das für eine Chance war, weil er schon wieder Geld roch. So heulte und klagte er und bettelte den Derwisch so lange an, bis der sich breitschlagen ließ und ihm die Sache erzählte.

„Siehst du diesen Hügel dort?" sagte er. „In diesem Hügel sind alle Schätze der Erde. Aber nur ein edler Mensch mit einem guten Herzen kann sie finden. Ich habe dauernd nach einem gesucht – ich habe nämlich hier eine Salbe, und wenn ich die jemand auf ein Auge reibe, kann er die Schätze sehen und sie rausholen."

Da war der Kameltreiber natürlich ganz aus dem Häuschen. Er ächzte und stöhnte und heulte und jammerte und bettelte und fiel auf die Knie und sagte, er sei gerade so ein Mensch. Er hätte tausend Zeugen dafür, und alle würden sagen, er sei noch nie so gut beschrieben worden.

„Also gut", sagte der Derwisch endlich. „Wenn wir die hundert Kamele beladen, krieg ich dann die Hälfte davon?"

Der Mann war so verrückt vor Freude, daß er alles versprach. So schlugen sie ein, und der Derwisch holte ein Kästchen heraus; da war die Wundersalbe drin. Er schmierte etwas davon auf das rechte Auge des Mannes, und auf einmal ging der Hügel auf, und er konnte hineinspazieren. Und tatsächlich! Berge von Gold und Juwelen türmten sich darin; und sie funkelten und glitzerten, als seien alle Sterne vom Himmel gefallen.

Also machten sich der Derwisch und der Kameltreiber an die Arbeit; es war eine schwere Schufterei. Sie beluden alle Kamele, bis sie fast zusammenbrachen. Dann sagten sie einander ade, und jeder zog mit seinen fünfzig Kamelen davon.

Aber bald kam der Kameltreiber angerannt und keuchte ganz atemlos: „Halt! Ich hab mir's nochmal überlegt. Du hast keine Familie; zu was brauchst du so viele Kamele? Gib mir zehn davon, sei so gut!"

„Ich weiß nicht recht", sagte der Derwisch, „aber eigentlich klingt das ganz vernünftig." Und er gab ihm zehn Kamele.

Doch es dauerte nicht lange, da kam der Kameltreiber wieder dahergelaufen. Er quasselte alles mögliche Zeug, und schließlich schwatzte er dem Derwisch nochmal zehn Kamele ab. Dreißig Kamele sind genug für einen Derwisch, meinte er, sie leben ja ganz einfach und bescheiden und ziehen sowieso bloß in der Gegend herum.

Aber damit hatte er immer noch nicht genug. Der Bursche kam noch ein paarmal angerannt, und zum Schluß hatte er alle seine hundert Kamele wieder, und der Derwisch guckte in den Mond. Jetzt war der Kameltreiber endlich zufrieden und sagte tausendmal Dankeschön, und er würde den Derwisch nie im Leben vergessen. Zuletzt drückte er ihm die Hand und fiel ihm fast um den Hals; dann zog er fröhlich mit seinen Kamelen ab.

Aber ob ihr's glaubt oder nicht: Nach zehn Minuten stand er wieder da! Er war die elendste Schlange, die man je gesehen hat. Diesmal wollte er, daß der Der-

wisch die Salbe auch noch auf sein anderes Auge
schmierte.

„Und warum das? " fragte der Derwisch.

„Oh, du weißt schon", sagte der Kameltreiber.

„Was weiß ich denn? "

„Du kannst mich nicht für dumm verkaufen. Du
willst mir was verheimlichen — das weißt du genau. Du
weißt, ich könnte dann noch ganz andere Sachen
sehen. Bitte, bitte — reib mir noch ein bißchen drauf!"

„Ich verheimliche dir nichts", sagte der Derwisch.
„Wenn ich dir die Salbe auf dein anderes Auge reibe,
wirst du gar nichts sehen — du kannst nie mehr sehen
und bleibst dein ganzes Leben blind."

Aber denkt ihr vielleicht, der Nimmersatt hätte ihm
geglaubt? Keine Spur. Er bittelte und bettelte in
einem fort, und schließlich wurde es dem Derwisch zu
dumm. Er machte sein Kästchen auf und sagte, er soll
sich selber was draufschmieren, wenn er Lust hat. Der
Kameltreiber langte gierig hinein und platzte sich die
ganze Salbe auf sein linkes Auge, und in der nächsten
Sekunde war er blind wie eine Fledermaus.

Da lachte ihn der Derwisch aus und sagte, jetzt
braucht er ja keine Juwelen mehr, und Gold schon gar
nicht. Und er nahm sich die hundert Kamele und
machte sich aus dem Staub. Der Kameltreiber blieb
ganz belämmert zurück, und von diesem Tag an irrte er
einsam und verlassen durch die Wüste, bis er starb.

Das war die Geschichte. Wir waren mächtig beein-
druckt, und Jim sagte, das würde ihm eine Lehre sein.

„Ja, sagte Tom, „und damit ist's wie mit den meisten Lehren, die man im Leben bekommt. Sie taugen

102

nichts, weil einem so was nie wieder passiert – jedenfalls nicht genau so. Als im Dorf mal einer vom Dach fiel und sein Leben lang ein Krüppel blieb, sagten alle, das würde ihm eine Lehre sein. Eine schöne Lehre! Was konnte er denn damit anfangen? Aufs Dach klettern konnte er nicht mehr; und wie soll man ein Krüppel werden, wenn man schon einer ist? "

„Aber trotzdem, Herr Tom, es das schon geben, daß man was lernen aus die Erfahrung. Die Bibel sagen, gebranntes Kind scheuen die Feuer."

„Ja, manche Sachen können einem schon eine Lehre sein; aber nur, wenn sie zweimal genau gleich passieren können. Das gibt es schon, und durch sie lernt der Mensch was – das hat schon mein Onkel Abner immer gesagt. Aber es gibt vierzig Millionen andere Dinge, die nicht zweimal vorkommen, und von ihnen lernt man einen Dreck. Es ist wie bei den Pocken: Wenn du sie hast, lernst du höchstens, daß du dich früher hättest impfen lassen sollen; aber es ist völlig idiotisch, wenn du dich hinterher impfen läßt – weil man die Pocken nur einmal kriegt. Aber Onkel Abner sagte auch, ein Mensch, der einmal einen Stier am Schwanz zieht, lernt sechzig- oder siebzigmal soviel wie einer, der das nicht macht; und wer einmal eine Katze am Schwanz nach Hause ziehen will, kriegt einen Denkzettel, den er nie im Leben vergißt. Aber das kann ich dir sagen, Jim: Onkel Abner hatte die Leute gefressen, die aus allem eine Lehre ziehen wollen, egal – "

Da merkte Tom, daß Jim eingeschlafen war. Er sah etwas verdutzt drein, denn es ist immer ein bißchen peinlich, wenn man besonders kluge Sachen sagt und denkt, der andere hört gespannt zu — und dann schläft der Kerl ein. Natürlich ist es schäbig, wenn man bei so was einschläft; aber je gelehrter jemand daherredet, desto schläfriger wird man. Und wenn man die Sache so ansieht, ist eigentlich keiner von beiden schuldig — oder beide.

Jim begann zu schnarchen. Erst grunzte und blubberte er nur ein bißchen, dann schnarchte er einmal richtig und dann nochmal lauter und dann ein halbes Dutzend Mal ganz fürchterlich, wie wenn Wasser in den Abfluß gurgelt. Aber jetzt legte er erst richtig los; er keuchte und schnaubte und prustete und machte einen Lärm wie eine Kuh beim Metzger. Einer, der's im Schnarchen so weit gebracht hat, kann einen Toten damit aufwecken, aber er selbst wacht nie im Leben davon auf, obwohl sich der ganze Lärm zehn Zentimeter vor seinem Ohr abspielt. Das ist das Komische dabei. Aber wenn man fünf Meter weg von ihm ein Streichholz anzündet, fährt er sofort hoch. Ich gäb was drum, wenn ich wüßte, was das für einen Grund hat; aber ich glaube, das findet niemand heraus. Jim alarmierte mit seinem Geschnarche die ganze Wüste Sahara und scheuchte alle Tiere in der Gegend auf; und das einzige Lebewesen, das sich von dem Krach nicht stören ließ, war Jim selber, obwohl er ihm am nächsten war. Wir schüttelten ihn und brüllten ihn an, aber das nützte überhaupt nichts; doch dann wachte er bei irgendeinem schwachen Geräusch auf. Nein, ich habe mir die Sache vom Anfang bis zum Ende überlegt und Tom auch, aber es kam nichts dabei heraus. Wir haben nicht herausgefunden, warum ein Schnarcher sich nicht schnarchen hört.

Jim behauptete, er hätte nicht geschlafen; er hätte nur die Augen zugemacht, damit er besser zuhören konnte.

„Niemand hat dir einen Vorwurf gemacht", sagte Tom.

Da guckte uns Jim an, als wünschte er, er hätte nicht den Mund aufgemacht. Es war ihm schwer peinlich, und er begann den Kameltreiber zu verfluchen; genau, wie wenn jemand bei etwas erwischt wird und einem andern die Schuld in die Schuhe schieben will. Er fluchte den Kameltreiber in Grund und Boden, und ich machte es geradeso; und er lobte den Derwisch in den höchsten Tönen, und ich lobte ihn auch.

Aber Tom sagte: „Da bin ich nicht so sicher. Ich weiß nicht, ob der Derwisch wirklich so ein guter Mensch war. Suchte er vielleicht nach einem anderen Derwisch? Nein, das tat er nicht. Und wieso ging er nicht selbst in den Hügel und füllte seine Hosentaschen mit Juwelen? Weil er einen Mann mit hundert Kamelen brauchte. Er wollte so viel Schätze, wie er nur kriegen konnte."

„Aber Herr Tom", sagte Jim, „er doch wollen teilen, ganz anständig; er wollen nur fünfzig Kamele."

„Weil er wußte, daß er am Schluß doch alle bekäme."

„Aber, Herr Tom, er sagen doch zu die Mann, die Salbe machen ihn blind!"

„Ja, weil er genau wußte, was das für einer war. Er hatte den Kameltreiber durchschaut. Es war genau der Typ, den er suchte: ein Mann, der den andern nichts glaubte, weil er dachte, sie seien genau solche Halunken wie er. Ich glaube, es gibt eine Menge Leute, die so sind wie dieser Derwisch. Sie beschwindeln dich, wo sie nur können, und drehen es immer so hin, daß du selber als Schwindler dastehst. Sie halten sich immer ans Gesetz, und so werden sie nie erwischt. Sie schmieren dir nicht die Salbe aufs Auge – o nein, das wäre ja eine Sünde! Aber sie wissen, wie sie dich dazu kriegen, daß du sie dir selbst draufschmierst. Dann bist du selber schuld, wenn du blind wirst! Ich glaube, der Derwisch und der Kameltreiber waren beide Schurken: ein schlauer, getarnter Schurke und ein plumper, tölpelhafter Schurke – aber Halunken waren sie beide."

Da fragte Jim neugierig: ,,Herr Tom, Sie glauben, daß heute noch irgendwo auf die Welt ein bißchen von die Wundersalbe sein? "

,,Ja – Onkel Abner sagt das wenigstens. Er sagt, es gibt sie in New York, und die Leute dort schmieren sie auf die Augen der dummen Bauern vom Land und zeigen ihnen alle Eisenbahnen der Welt. Die Bauern kaufen sie alle, aber dann schmieren sie sich die Salbe aufs andere Auge, und dann sehen sie keine Eisenbahn mehr – weil der andere schon längst damit verschwunden ist. – Also, hier ist der Schatzhügel!"

Wir kletterten hinunter, aber es war nicht so aufregend, wie ich gedacht hatte – wir fanden den Eingang zur Höhle nicht, in die der Kameltreiber hineingekrochen war. Aber es war doch ganz schön, daß wir wenigstens den Hügel sahen, wo so was Unglaubliches passiert war. Jim sagte, er hätte sich den Hügel nicht entgehen lassen wollen, nicht mal für drei Dollar.

Jim und ich fanden es auch ganz toll, daß Tom einfach so in ein fremdes Land kam und geradewegs auf einen Maulwurfshügel zusteuerte und ihn sofort erkannte, obwohl es in der Sahara hunderttausend solche Hügel gibt. Ja, das war eben Tom! Wir überlegten hin und her, wie er's geschafft hatte; aber wir kamen nicht drauf. Tom hatte das klügste Köpfchen, das ich je gesehen habe, und wäre er schon erwachsen gewesen, dann wäre er bestimmt so berühmt wie Käptn Kidd oder George Washington geworden. Ich wette, diese beiden hätten sich ganz schön anstrengen müssen, diesen Hügel zu finden; aber für Tom war das ein Kinderspiel. Er gondelte quer durch die Sahara und hatte ihn schon gefunden.

In der Nähe fanden wir einen Teich, in dem Salzwasser war. Wir kratzten eine Ladung Salz zusammen; das brauchten wir, um die Felle des Löwen und des Tigers zu lagern, damit sie schön frisch blieben, bis Jim sie bearbeiten konnte.

11

Ein oder zwei Tage kreuzten wir einfach so durch die Gegend. Dann kam wieder eine tolle Nacht. Der große runde Mond berührte eben die Wüste, da sahen wir eine Schar kleiner schwarzer Gestalten über sein silbernes Gesicht ziehen. Sie sahen aus, als seien sie mit schwarzer Tinte auf den Mond gemalt. Es war wieder eine Karawane. Wir mäßigten die Geschwindigkeit und zuckelten ihr gemächlich nach, nur um ein bißchen Gesellschaft zu haben. Es war eine riesengroße Karawane, noch größer als die erste. Und es sah schon großartig aus, als am nächsten Morgen die Sonne aufging, die die Kamele lange Schatten auf den goldenen Sand werfen ließ; man konnte meinen, tausend schwarze Riesenspinnen marschierten in Reih und Glied durch die Wüste. Wir paßten auf, daß wir ihnen nicht zu nahe kamen, damit sie keinen Schreck kriegten; das hatten wir von der ersten Karawane gelernt.

Ihr könnt euch gar nicht vorstellen, was das für eine vornehme Karawane war. Die Männer hatten die tollsten Kleider, und ein paar der Häuptlinge ritten auf Dromedaren. Es waren die ersten Dromedare, die wir in unserem Leben sahen; sie waren riesengroß und staksten wie auf Stelzen durch die Gegend, und sie schüttelten ihren Reiter tüchtig durch — aber es sind schon prächtige Viecher, und dann sind sie erst noch viel schneller als Kamele.

Mittags machte die Karawane Pause, und am Nachmittag zog sie weiter. Da begann sich die Sonne plötzlich zu verfärben. Erst sah sie aus wie Messing, dann wie Kupfer, endlich wie ein blutroter Ball. Die Luft wurde ganz heiß und stickig, und plötzlich verdunkelte sich der Himmel im Westen. Es sah aus wie eine dichte Nebelwand, ganz wild und unheimlich, wie wenn man durch eine rote Glasscheibe guckt. Da sahen wir unter uns, daß die Männer der Karawane plötzlich durcheinanderwimmelten und nach allen Richtungen davonrannten; auf einmal warfen sich alle flach auf den Bauch und machten keinen Mucks mehr.

Wir wunderten uns nicht wenig, aber da brauste die Wand schon heran. Sie war riesengroß und verdunkelte die Sonne, und sie hatte ein unheimliches Tempo. Jetzt ging hier oben bei uns ein leichtes Windchen, und dann schlugen uns plötzlich Sandkörner ins Gesicht. Es tat elend weh, und Tom brüllte: „Ein Sandsturm! Dreht euch um!"

Wir drehten uns um, und eine Sekunde später tobte ein Orkan los. Auf unsern Rücken prasselte nur so der Sand – als würde ihn jemand mit Schaufeln schütten; die Luft war so voll davon, daß wir nicht mal mehr die Hand vor den Augen sahen. In fünf Minuten war der Ballon bis zum Rand voll, und wir saßen auf den Kästen und steckten bis zum Hals im Sand. Nur unsere Köpfe guckten heraus, wir konnten kaum noch atmen.

Endlich, endlich wurde der Sturm schwächer, und wir sahen die Riesenwand weiter über die Wüste rasen; ein gräßlicher Anblick, das kann ich euch sagen! Wir gruben uns aus und schielten über den Ballonrand.

Dort, wo eben noch die Karawane gewesen war, war nichts als ein Meer von Sand, und alles war totenstill. Alle diese Menschen, Kamele und Dromedare waren erstickt, tot, begraben unter fünf Meter Sand. Tom sagte, es kann ein paar Jahre dauern, bis sie der Wind freiweht, und ihre Freunde wissen nicht mal, was aus ihnen geworden ist.

„Jetzt wissen wir, was mit den Menschen passiert ist, von denen wir die Schwerter und Pistolen haben", sagte Tom traurig.

Ja, das wußten wir jetzt. Ein Sandsturm hatte sie zugeschüttet, und der Wind hatte sie erst wieder freigeweht, als sie schon ganz ausgedörrt waren. Ich hatte gedacht, diese Menschen hätten uns so leid getan, wie Menschen einem überhaupt leid tun können. Aber das stimmte nicht. Jetzt, wo die andere Karawane verschüttet war, waren wir noch trauriger — viel trauriger. Wißt ihr, die erste war uns wildfremd gewesen; aber bei dieser Karawane war es anders. Fast zwei Tage hatten wir die Reisenden begleitet, und sie waren uns schon fast so etwas wie Freunde geworden. Wenn man genau wissen will, ob man jemand mag oder nicht, muß man nur eine Reise mit ihm machen. Und so war es auch hier. Wir fanden die Leute schon am Anfang nett, und je besser wir sie kennenlernten, desto mehr mochten wir sie, und wir freuten uns mächtig, daß sie uns über den Weg gelaufen waren. Manche kannten wir schon so gut, daß wir ihnen Namen gaben, und schließlich ließen wir auch das „Herr" oder „Fräulein" weg und nannten sie einfach beim Vornamen; das kam uns ganz in Ordnung vor, weil sie ja unsere Freunde waren. Da waren der Herr Alexander Robinson und Fräulein

Adaline Robinson, Oberst Jacob McDougal und Fräulein Harriet McDougal, der Herr Richter Jeremiah Butler und der junge William Butler – das waren die großen Häuptlinge und ihre Familien; mit ihren prächtigen Turbanen und Krummschwertern sahen sie aus wie der Großmogul persönlich. Aber sobald wir sie besser kannten, sagten wir nicht mehr „Herr" oder „Richter", sondern einfach Alex und Ada, Jack und Hattie, Jerry und Billy.

Und wenn man sich mit jemand freut oder mit jemand traurig ist, dann mag man ihn immer lieber. Wir waren nicht wie die meisten Leute auf einer Reise, die stocksteif in ihrer Ecke sitzen und sich um niemand scheren – nein, wir waren richtig freundlich und interessierten uns für alles. Die Karawane konnte sich drauf verlassen, daß wir immer zur Stelle waren, egal, was passierte.

Wenn sie Pause machten, machten wir auch Pause, drei- oder vierhundert Meter hoch am Himmel. Wenn sie sich zum Essen hinsetzten, aßen wir auch, und dann schmeckte es uns um so besser. Als sie gestern abend eine Hochzeit feierten, die von Billy und Ada, warfen wir uns in die steifsten Klamotten des Professors und feierten mit; und als sie tanzten, pfiffen wir uns eins.

Aber ein Unglück bringt die Menschen am nächsten zusammen – und bei uns war's ein Begräbnis. Es war heute morgen ganz in der Frühe gewesen, die Sonne war noch gar nicht richtig aufgegangen. Wir kannten den Toten nicht, es war keiner von unsern Häuptlingen – aber er gehörte zur Karawane, das war genug. Wir heulten genauso hier oben wie die dort unten.

Ja, und jetzt waren sie alle tot. Wir konnten es noch gar nicht fassen, und es war viel schlimmer als bei der anderen Karawane. Ihre Leute hatten wir ja gar nicht gekannt, und sie waren auch schon lange tot; aber die unter uns hatten gerade noch gelebt und waren ganz lustig und vergnügt gewesen. Und da holte sie der Tod direkt vor unsern Augen und ließ uns ganz allein mitten in der Wüste zurück. Ach ja, es war ein Jammer.

Wir mußten immer weiter von ihnen sprechen, wir kamen einfach nicht davon los. Sie waren noch richtig lebendig für uns, und wir sahen sie ganz deutlich vor uns, wie sie durch die Wüste zogen; die Spitzen ihrer Lanzen blitzten in der Sonne, die Tiere trotteten gemächlich dahin, und ein paarmal am Tag rief einer zum Gebet; dann blieben alle auf der Stelle stehen, schauten nach Osten und breiteten die Arme aus, und vier- oder fünfmal knieten sie in den Sand, ließen sich nach vorn fallen und berührten mit der Stirn den Boden.

Es hatte keinen Sinn, wenn wir weiter von ihnen sprachen; es nützte doch nichts, und wir wurden nur trauriger davon. Jim sagte, er wird sich gewaltig anstrengen, damit er ein guter Mensch wird und sie vielleicht im Himmel wiedersieht; und Tom war ganz still und sagte ihm nicht, daß es nur Mohammedaner waren, die nicht in den Himmel kommen — Jim fühlte sich so schon elend genug.

Als wir am nächsten Morgen aufwachten, waren wir ein bißchen fröhlicher. Wir hatten gut geschlafen, weil der Sand das bequemste Bett ist, das es gibt; ich weiß gar nicht, warum die Leute nicht öfter auf Sand schlafen, wenn sie sich's leisten können. Und der Sand ist auch ein erstklassiger Ballast; noch nie flog unser Ballon so ruhig.

Tom schätzte, daß wir zwanzig Tonnen Sand an Bord hatten, und er überlegte, was wir am besten damit anfangen sollten. Es war so guter Sand, daß wir ihn nicht einfach wegwerfen wollten.

Da hatte Jim eine Idee: „Herr Tom, können wir die Sand nicht mitnehmen und zu Hause verkaufen? Wie lange es dauern, bis wir sein zu Hause? "

„Das hängt davon ab, welche Strecke wir fliegen."

„Also, eine Karren Sand sein wert eine Vierteldollar; und wir haben vielleicht zwanzig Karren voll. Wieviel machen das? "

„Fünf Dollar."

„Oh, so viele Geld! Sofort heimfliegen, Herr Tom! Das machen für jeden eine und eine halbe Dollar, oder? "

„Sogar ein bißchen mehr."

„Also, wenn man so nix ganz leicht Geld verdienen können! Die Sand regnen einfach rein — müssen gar nix arbeiten. Sofort heimfliegen, Herr Tom!"

Aber Tom dachte so scharf nach, daß er Jim überhaupt nicht hörte. Er rechnete an irgendwas herum, und plötzlich rief er: „Fünf Dollar — daß ich nicht lache! Dieser Sand ist ein Vermögen wert!"

„Wie kommen das, Herr Tom? Schnell sagen, bitte, bitte!"

„Also, wenn wir den Leuten sagen, das ist echter Sand aus der echten Sahara, dann sind sie ganz verrückt danach. Wir müssen den Sand in Dosen abfüllen und einen Zettel draufkleben; dann können wir die ganzen Vereinigten Staaten abklappern und die Dose für zehn Cent verkaufen. Wir haben für zehntausend Dollar Sand in unserm Ballon!"

Ich und Jim waren vor Freude ganz aus dem Häuschen und brüllten hurra; dann sagte Tom: „Und wenn unser Sand aus ist, fliegen wir zurück und holen uns neuen, und das machen wir so lange, bis wir die ganze Sahara in die Staaten verfrachtet haben. Und wir werden schon dafür sorgen, daß wir keine Konkurrenz kriegen, weil wir uns die Sache nämlich patentieren lassen."

„Junge, Junge!" rief ich. „Wir werden so reich wie Rockfaller — stimmt's, Tom? "

„Du meinst Rockefeller, aber sonst stimmt's. Das wird eine tolle Sache, kann ich euch sagen! Denkt nur, dieser Derwisch hat in dem Hügel nach den Schätzen der Erde gesucht und wußte nicht, daß er tausend Meilen über die wahren Schätze gelatscht ist. Er war noch viel blinder, als er den Kameltreiber machte!"

114

Jetzt konnte Jim nicht mehr an sich halten. „Herr Tom, wieviel wert sein alle die Sand von die Sahara? " fragte er atemlos.

„Das weiß ich auch nicht so genau", meinte Tom. „Ich muß mir's erst ausrechnen, und das ist furchtbar schwierig; es sind nämlich vier Millionen Quadratmeilen zu zehn Cent die Dose!"

Jim war mächtig aufgeregt, aber plötzlich machte er ein langes Gesicht. Dann schüttelte er den Kopf und sagte traurig: „Ojemine — es nix gehen!"

„Warum denn nicht? " fragte ich.

„Ah — wir nix können uns leisten die viele Dosen — keine König können das! Wir nix können nehmen ganze Wüste; sonst wir machen Pleite!"

Auch Tom schaute jetzt ziemlich verdattert drein, und ich dachte, es sei wegen der Dosen, aber das war es nicht. Er wurde ganz traurig, und dann sagte er: „Freunde, es klappt nicht; wir müssen die Sache ganz aufgeben."

„Warum denn, Tom? "

„Wegen dem Zoll."

Das kapierte ich nicht, und Jim natürlich erst recht nicht. Da fiel mir ein, daß die Witwe Douglas einen Zollstock hatte, und damit maß sie immer Sachen aus. Vielleicht wollte Tom damit die Wüste messen, damit er wußte, wieviel Dosen wir brauchten; und das dauerte natürlich viel zu lange.

„Aber so genau mußt du das doch nicht ausrechnen", sagte ich. „Es ist doch wurst, wieviel Zoll — "

„Nein, das ist nicht wurst. Das kostet — "

„Ach was, das kostet doch nicht viel. Der Zollstock von der Witwe Douglas ist aus Holz, und — "

„Was soll denn der Quatsch? Was faselst du da von einem Zollstock? "

„Du hast doch selber davon angefangen. Du hast gesagt, der Zoll — "

„Aber doch nicht dieser Zoll! Ich meine was ganz anderes."

„Was denn dann für einen Zoll? "

„Also, der Zoll, das ist — das ist so eine Art Steuer." Da schüttelte Jim den Kopf und sagte: „Aber Herr Tom, warum sagen so dumme Sachen? Steuer kosten gar nix!"

„Na, du mußt es ja wissen!" Tom wurde richtig wütend.

„Ja, und Sie auch wissen. Steuer machen die Professor, und er müssen zahlen, aber wir — "

„Was hat denn der Professor mit der Steuer zu tun? "

„Also, ich nix verstehen, daß Sie so dumm fragen. Die Professor machen die Ballon, und — "

„Ja, aber davon reden wir doch gar nicht!"

„So, nix davon reden? Hier sein die Steuer, und die Steuer sein in die Ballon, und wir brauchen die Steuer zum Leiten. Aber die Steuer nix kosten, weil — "

„Ihr Idioten!" brüllte Tom. „Ihr begreift doch überhaupt nichts!" Und dann wollte er gar nichts mehr sagen. Aber ich war jetzt schwer neugierig geworden und bettelte eine Weile an ihm herum, und schließlich erklärte er's uns doch.

„Also", fing er an, „wenn man von einem Land ins andere will, dann kommt man an die Grenze, und dort steht ein Haus; das ist das Zollhaus. Da kommen ein paar Leute raus und schnüffeln in deinem Gepäck und

116

wollen unheimlich viel Geld. Das nennt man Zoll, und deswegen muß man's zahlen. Und sie müssen einem soviel abknöpfen, wie sie nur können, weil das die Regierung will, denn die kriegt das Geld. Und wenn wir den Zoll nicht bezahlen, nehmen sie uns den Sand weg. Sie nennen das konfiszieren, aber das ist nur ein schönes Wort, damit man drauf reinfällt, denn es heißt nur so was Ähnliches wie klauen. Wenn wir jetzt den Sand nach Hause bringen wollen, müssen wir dauernd über Grenzen — Ägypten und Arabien und weiß der Teufel was —, und an jeder Grenze müssen wir Zoll zahlen. Begreift ihr jetzt, daß es nicht klappt? "

„Aber Tom", sagte ich, „wir können doch einfach über ihre lächerlichen Grenzen wegfliegen; dann gucken sie in den Mond.

Da sah er mich ganz traurig an und sagte: „Wäre das vielleicht ehrlich, Huck Finn? "

Das hörte ich gar nicht gern, aber ich sagte keinen Ton und ließ Tom weiterreden.

„Und außerdem würde das auch nicht klappen. Wenn wir die gleiche Strecke zurückfliegen, dann kommen wir zum Zollamt von New York, und das ist schlimmer als die andern zusammen — wegen unserer Ladung."

„Aber wir haben doch nur eine Ladung Sand!"

„Gerade deshalb. Es ist ja nicht gewöhnlicher Sand, sondern Sand aus der Sahara, und das gibt's in den Vereinigten Staaten nicht. Und wenn es dort etwas nicht gibt, ist der Zoll vierzehnhunderttausend Prozent."

„Aber das ist doch Blödsinn!"

„Hab ich was anderes behauptet? "

117

Da fragte Jim: „Herr Tom, kosten alles Zoll, was von andere Land nach Amerika kommen?"

„Ja, so ziemlich."

„Und wenn wir kommen nach Amerika, müssen wir dann zahlen Zoll, daß wir dürfen hinein?"

„Nein, das ist was anderes. Wir waren ja vorher schon da, und wir sind auch keine Sache — "

„Herr Tom, sein nicht die Heilige Geist die beste Sache von der Welt?"

„Ja, natürlich."

„Und woher er kommen?"

„Also, das — er kommt von Gott. Aber — "

„Nix aber — er kommen von Gott, Sie das wissen. Und wo sein Gott? In die Himmel! Und sein die Himmel vielleicht Amerika? Nein, er sein andere Land. Also — wollen sie dafür Zoll?"

„Nein, das nicht."

„Natürlich nix! Also, das beweisen, daß Sie nix haben recht, Herr Tom. Oder Sie vielleicht glauben, sie wollen Zoll für die blöde Sand, wo niemand nix brauchen, und nix wollen Zoll für die beste Sache, wo jeder brauchen?"

Tom war ganz platt; er merkte, daß ihn Jim in die Enge getrieben hatte. Natürlich wollte er sich herauswinden, und er sagte, sie hätten diesen Zoll wahrscheinlich bloß vergessen, aber bei der nächsten Kongreßversammlung würden sie bestimmt dran denken. Aber das war eine schwache Ausrede, und das wußte er auch genau. Er sagte, alle ausländischen Sachen würden verzollt, außer dem Heiligen Geist. Das war eine Ausnahme, sagte er. Aber in der Politik gibt's keine Ausnahmen. Und deshalb behauptete er steif und fest, sie hätten es nur aus Versehen weggelassen und würden es sicher schleunigst nachholen, bevor die Leute es merkten und sie auslachten.

Aber diese Sachen interessierten mich nicht mehr groß. Es reichte mir, daß wir unsern Sand nicht durchbringen konnten. Das machte mich todtraurig, und Jim ging's ebenso. Tom wollte uns ein bißchen aufheitern und sagte, er würde sich was anderes ausdenken und was viel Besseres. Aber es nützte alles nichts — wir glaubten einfach nicht, daß wir je wieder eine so tolle Chance bekämen. Es war zum Heulen — vor einer Weile waren wir steinreich gewesen, wir konnten uns ein Land kaufen und uns zum König machen und berühmt werden; und jetzt waren wir wieder arm wie die Kirchenmäuse und hockten blöd auf unserem Sand. Vorher hatte er so herrlich dagelegen und wie Gold geglitzert; aber jetzt konnte ich ihn nicht mehr sehen, er machte mich ganz krank. Ich wußte, ich würde mich nie mehr wohl fühlen, bevor wir das Zeug los waren; und die andern dachten das gleiche. Ich merkte das, weil sie gleich wieder ein bißchen lustiger wurden, als ich sagte: „Schmeißen wir den Dreck über Bord!"

Das war eine schöne Schufterei, weiß Gott! Aber Tom teilte sie gerecht unter uns auf. Er sagte, ich und er, wir beide schaufeln je ein Fünftel des Sandes hinaus; für Jim blieben drei Fünftel, weil er der Größte war.

Das paßte Jim aber gar nicht. „Natürlich ich sein die Größte", sagte er, „und ich wollen schon große Teil machen. Aber alte Jim müssen doch nicht ganze Arbeit machen, oder? "

Dann sagte er, wenn wir anständig wären, müßten wir mindestens ein Zehntel übernehmen. Tom drehte sich um, wahrscheinlich, damit er sich die Sache in Ruhe überlegen konnte, und dann grinste er so breit wie die Sahara. Dann sah er Jim wieder an und sagte, das sei ein sehr guter Vorschlag und wir seien einverstanden. Das freute Jim mächtig.

Jetzt maß Tom unsere beiden Zehntel ab, und als Jim sah, wie groß der Rest war, freute er sich gar nicht mehr. Er sagte, Gott sei Dank hätte er gegen Toms ersten Vorschlag protestiert, denn so sei immer noch genug Sand für ihn da.

Dann machten wir uns an die Arbeit. Es war schon verdammt hart; wir begannen so zu schwitzen, daß wir höher steigen mußten, wo es kühler war. Tom und ich wechselten uns ab; einer arbeitete, und der andere ruhte sich aus. Aber den armen Jim löste niemand ab. Tom sagte, mit seinem Schweiß könnte man die ganze Sahara bewässern. Wir konnten kaum arbeiten, Tom und ich, und hielten uns den Bauch vor Lachen. Das ärgerte Jim mächtig, und er wollte dauernd wissen, was uns so lächerlich vorkam; und wir erfanden irgendwelche Märchen, damit er uns nicht auf die Schliche kam. Als wir's endlich geschafft hatten, waren wir halbtot – vor Lachen! Schließlich war auch Jim halbtot – aber nicht vor Lachen, das könnt ihr mir glauben! Da lösten wir ihn ab, und das freute ihn ganz gewaltig, und er sagte tausendmal Dankeschön. Er hockte sich auf den Boden und wischte sich den Schweiß vom Gesicht und schnaufte und keuchte; er sagte, wir seien so gut zu einem armen alten Nigger, und das wird er uns nie vergessen. So war er immer;

wenn man nur ein bißchen was für ihn tat, war er so dankbar, wie man nur sein kann. Er hatte die Haut von einem Nigger, aber innen drin war er so weiß wie ihr und ich.

12

Als wir die nächsten paar Male aßen, bissen wir ziemlich oft auf Sand. Aber das macht nichts, wenn man Kohldampf hat; und wenn man keinen Kohldampf hat, macht das Essen sowieso keinen Spaß. Also ist ein bißchen Dreck im Essen nicht besonders schlimm — finde ich jedenfalls.

Wir segelten die ganze Zeit nach Nordosten, und Tom sagte, jetzt kommen wir bald ans Ende der Wüste. Da sahen wir ganz weit hinten drei kleine, steile Dächer, wie Zelte. Die Sonne schien drauf, und sie sahen ganz rosa aus. Tom guckte durchs Fernglas, und dann rief er ganz aufgeregt: ,,Wißt ihr, was das ist?"

Wir wußten es natürlich nicht, und so sagte Tom: ,,Das sind die Pyramiden von Ägypten!"

Da hüpfte mein Herz vor Freude. Ich habe schon eine Menge Bilder von den Pyramiden gesehen und hundertmal von ihnen gehört; aber ich war doch ganz platt, daß sie jetzt auf einmal vor uns standen. Wir sahen mit unseren eigenen Augen, daß sie wirklich echt waren und nicht bloß ein Märchen. Ich bin da ganz eigenartig: Wenn ich oft von irgendwas höre, was ganz berühmt ist, denke ich zum Schluß, das gibt's gar

121

nicht; es kommt mir dann vor wie ein Traum, wie ein riesengroßer Schatten im Mondschein. So geht mir's mit George Washington, und so ging mir's auch mit den Pyramiden.

Und was ich über die Pyramiden gehört hatte, hielt ich sowieso für Schwindel. Einmal kam so ein komischer Kerl in die Sonntagsschule, der hatte ein Bild von ihnen und erzählte uns stundenlang davon; er sagte, die größte Pyramide steht auf über fünfhundert Ar und ist hundertfünfzig Meter hoch, und sie ist ein steiler Berg aus lauter riesigen Steinbrocken, ganz regelmäßig, wie eine Treppe. Also stellt euch das mal vor: fünfhundert Ar für ein einziges Gebäude! So groß ist bei uns eine Farm. Hätte es der Kerl nicht in der Sonntagsschule erzählt, hätte ich gleich gedacht, das ist ein Schwindel; und als ich draußen war, glaubte ich ganz fest, daß es eine Lüge war. Und er sagte auch, in der Pyramide ist ein Loch, und man kann mit einer Kerze hineingehen und kommt durch einen endlosen Tunnel, und zum Schluß landet man in einem großen Raum im Bauch dieses Steinhaufens, und dort steht ein großer Kasten mit einem König drin, der viertausend Jahre alt ist. Da sagte ich mir, wenn das nicht gelogen ist, freß ich den König ohne Salz. Viertausend Jahre! So alt wurde nicht mal Methusalem!

Als wir näher kamen, sahen wir, daß der Sand in einer geraden Linie aufhörte, wie eine Decke; und gleich danach kam ein weites grünes Land, und ein glitzerndes Band schlängelte sich hindurch.

„Das ist der Nil!" rief Tom.

Wieder hüpfte mir das Herz, denn der Nil war auch so ein Traum für mich. Also, das kann ich euch sagen:

Wenn man dreitausend Meilen über gelben Sand dahingondelt und die Luft vor Hitze flimmert, daß einem die Tränen kommen, dann fühlt man sich wie im Paradies, wenn man ein grünes Fleckchen sieht, und es kommen einem gleich nochmal die Tränen. So ging's wenigstens mir, und Jim ging's genauso.

Jim konnte kaum glauben, daß er dort unten tatsächlich das Land Ägypten sah. Und als er's endlich glaubte, ging er in die Knie und nahm den Hut ab; er sagte, ein armer Nigger muß hinknien, wenn er in ein Land kommt, in dem solche berühmten Leute wie Mose und Josef und Pharao und die andern Propheten gelebt haben. Dann sagte Jim ganz aufgeregt: „Das sein die Land Ägypten, wirklich die Land Ägypten, und ich es sehen dürfen, und das sein große Gnade von die liebe Gott. Das sein die Fluß, wo zu Blut werden, und ich sehen die Boden, wo damals die sieben Plagen sein, und die Läuse und die Frösche und die Heuschrecken und die Hagel, und wo sie Zeichen machen an die Tür, wo die Engel von die liebe Gott bei Nacht vorbeikommen, und wo alle erste Kinder in Ägypten sterben. Alte Jim nicht wert sein, diese Tag zu sehen."

Und dann brach er völlig zusammen und heulte wie ein Schloßhund, so dankbar war er. Er und Tom hatten eine ganze Menge zu sagen. Jim war aufgeregt, weil das Land so voll von Geschichte war — Josef und seine Brüder, Mose in den Binsen, Jakob, der in Ägypten Getreide kaufte, der silberne Becher im Sack und alle diese tollen Geschichten. Und Tom war genauso aufgeregt, weil auch für ihn eine Menge Geschichte da war; von Nureddin und Bedreddin und andern gewaltigen Riesen, die Jim eine Gänsehaut ein-

jagten, und von vielen andern Burschen aus Tausendundeiner Nacht — ich glaube, die Hälfte davon haben
nie im Leben solche Sachen gemacht, mit denen sie
hinterher angaben.

Dann kam Nebel auf, und es hatte keinen Sinn, über
ihn wegzusegeln, weil wir Ägypten dann sicher verpaßt
hätten. So dachten wir, es sei das beste, den Ballon
nach dem Kompaß genau in die Richtung zu bringen,
in der die Pyramiden im Nebel verschwunden waren;
dann wollten wir tiefer gehen und dicht über dem
Boden fliegen und ganz genau aufpassen. Tom ging ans
Steuer, ich stand daneben, und Jim setzte sich rittlings
auf den Bug und starrte in den Nebel hinein, damit er
jede Gefahr gleich sah. Wir flogen langsam und gleichmäßig, und der Nebel wurde immer dichter, so dicht,
daß ich Jim nur noch wie einen Geist sah. Es war
totenstill. Wir hatten Angst und flüsterten nur noch
miteinander.

Ab und zu sagte Jim: „Höher, Herr Tom, bißchen
höher!" Dann ging Tom einen Meter höher, und wir
flogen dicht über eine dreckige Hütte. Die Hütten
hatten ein flaches Dach, und manchmal schliefen
Leute drauf, oder sie wachten gerade auf und streckten sich und gähnten. Einmal stand ein Kerl schon auf
den Beinen, damit er sich besser strecken konnte; aber
wir tuteten ihm in den Rücken, und da legte er sich
vor Schreck wieder lang.

Als wir eine Ewigkeit durch den Nebel gegondelt
waren, wobei wir kaum mal einen Laut hörten, klärte
sich der Himmel etwas auf.

Da brüllte Jim plötzlich los: „Hilfe, Hilfe! Herr
Tom, schnell zurück! Dort kommen die größte Riese

124

von Tausendundeine Nacht!" Und er flüchtete sich in den hintersten Winkel des Ballons.

Tom stoppte, und da sahen wir's auch. Ein Riese glotzte zu uns herein! Er hatte ein schreckliches Gesicht, so groß wie ein Haus — es sah aus, als würde ein Haus zu seinen eigenen Fenstern herausstarren. Ich warf mich der Länge nach auf den Boden und starb. Schon mindestens eine Minute war ich mausetot, als ich wieder zu mir kam. Da sah ich, daß Tom einen Haken in die Unterlippe des Riesen geschleudert hatte und ihn seelenruhig anguckte.

Jim lag auf den Knien; er hatte die Hände gefaltet und starrte ängstlich auf das Ungeheuer. Seine Lippen zitterten, aber er brachte keinen Ton heraus. Ich blinzelte kurz hin, dann wurde es mir schon wieder schwarz vor den Augen.

Aber Tom sagte: „Ihr Idioten! Das ist doch die Sphinx!"

Es war mir wurst, wie das Ding hieß. Ich dachte, wenn ich sowieso gleich sterbe, brauch ich nicht noch ausländische Namen zu lernen.

„Was guckt ihr so blöd? Sie ist doch nicht lebendig!" fuhr uns Tom an.

Da schielte ich wieder hin, und Tom stand jetzt direkt vor dem Viech. Noch nie habe ich Tom so klein gesehen; er sah aus wie eine Fliege, weil der Kopf des Riesen so groß und schrecklich war. Das heißt, er war mehr groß als schrecklich. Wenn man näher hinsah, merkte man, daß es eigentlich ein edles Gesicht war; es war nur ein bißchen traurig. Es war aus Stein, aus rötlichem Stein, und seine Nase und die Ohren waren abgehauen — sicher war der Riese deswegen traurig, und ich bekam richtig Mitleid mit ihm.

Wir segelten jetzt um den ganzen Kopf herum und darüber hinweg. Es war einfach phantastisch. Ich sah nicht, ob es der Kopf eines Mannes oder einer Frau war; jedenfalls war es ein Menschenkopf, und er saß auf dem Körper eines Tigers. Der war über vierzig Meter lang, und zwischen seinen Vorderpfoten war ein kleiner Tempel. Tom sagte, die Sphinx war ein paar hundert Jahre ganz vom Sand begraben, nur der Kopf guckte heraus; aber dann schaufelten sie den Sand weg und fanden den kleinen Tempel. Man braucht schon massenhaft Sand, um dieses Riesenvieh zuzuschütten; ich glaube, fast soviel, wie wenn man einen Dampfer begraben will.

Wir ließen Jim auf dem Kopf der Sphinx zurück und gaben ihm eine amerikanische Flagge als Schutz, weil wir ja im Ausland waren; Tom und ich segelten kreuz und quer durch die Gegend, damit Tom die richtigen

Perspektiven kriegte, wie er sagte. Jim machte alle möglichen Faxen und Grimassen, und wir lachten uns halbtot. Dann zeigte er auch noch ein paar Kunststückchen, aber das beste war, als er den Kopfstand machte und wie eine Kaulquappe mit den Beinen zappelte. Je weiter wir davonflogen, desto kleiner wurde Jim und desto größer wurde die Sphinx; und zum Schluß sah Jim aus wie ein Kieselsteinchen auf einem riesigen Felsen. So sieht man aus der richtigen Perspektive die richtigen Proportionen, sagte Tom; das begriff ich nicht, aber ich fragte auch nicht, weil ich es sowieso nicht kapiert hätte.

Dann flogen wir noch weiter fort, bis wir Jim überhaupt nicht mehr sehen konnten, und jetzt sah dieser Riese am edelsten aus. Er blickte still und feierlich und einsam über das Niltal; alle schäbigen Hütten und das andere Zeug ringsherum waren verschwunden, und auf dem Boden lag nur noch eine weiche Decke aus gelbem Samt — das war der Sand.

Und weil es so schön war, machten wir hier eine Pause. Eine halbe Stunde hockten wir da und schauten auf die Sphinx und dachten nach; lange sagten wir kein Wort, weil alles so feierlich und ruhig war. Ich dachte daran, daß die Sphinx vor tausend Jahren schon genauso traurig über dieses Tal blickte, und Tom sagte, bis heute hat noch niemand herausgefunden, was sie sich eigentlich dabei denkt.

Dann guckte ich durchs Fernglas, und da sah ich ein paar schwarze Käfer über den Samtteppich kriechen. Ein paar andere begannen an der Sphinx hochzuklettern, und dann stiegen zwei oder drei kleine weiße Rauchwolken auf.

Ich gab Tom das Fernglas; er schaute durch, und nach einer Weile rief er: „Es sind Menschen! Ja, Menschen und Pferde! Sie — also ist das nicht seltsam? Sie legen eine Leiter an. Und jetzt — wieder eine Rauchwolke — sie haben Gewehre! Sie schießen! Huck, sie sind hinter Jim her!"

Wir brausten los wie die Feuerwehr. Im Handumdrehen waren wir bei der Sphinx und schossen auf die Männer zu. War das ein Gekreische! Die meisten rannten gleich wie verrückt davon, und ein paar, die schon

auf der Leiter waren, verloren das Gleichgewicht und purzelten hinunter. Als alle verschwunden waren, flogen wir zum Kopf der Sphinx hinauf, und dort lag Jim. Ich brüllte: „Um Gottes willen, er ist tot!"

Aber da hob Jim den Kopf, und er war nicht mal verwundet. Er keuchte und schnappte nach Luft und war überhaupt ganz erledigt, teils vom Schreien und teils vor Angst. Er hatte wie ein Stier gebrüllt, aber aus der Entfernung hörten wir natürlich nichts. Junge,

Junge, hatte Jim was durchgemacht! Er war lange belagert worden — eine Woche lang, sagte er, aber das kam ihm nur so vor, weil sie ihm die Hölle so heiß machten. Sie hatten auf ihn geschossen, und die Kugeln pfiffen ihm nur so um die Ohren. Doch er hatte sich gleich hingeworfen, und so konnten sie ihn nicht treffen. Als sie das einsahen, holten sie die Leiter, und da dachte er, jetzt erwischen sie ihn. Das war vielleicht ungemütlich!

Tom fragte ihn ganz zornig, warum er ihnen nicht die Flagge gezeigt habe. Er hätte schreien müssen, sie sollen verschwinden, im Namen der Vereinigten Staaten. Aber Jim sagte, er habe es getan, aber denen habe das gar nichts ausgemacht. Da wetterte Tom, er wird dafür sorgen, daß die Sache vor unsere Regierung kommt, und dann sagte er: „Du wirst sehen, daß sie sich entschuldigen müssen, weil sie die Flagge verletzt haben. Und dann müssen sie noch Strafe zahlen, wenn sie überhaupt so leicht davonkommen."

Da fragte Jim: „Was Sie meinen, Herr Tom? Sie müssen Strafe zahlen?"

„Ja, natürlich. Sie müssen blechen."

„Und wer bekommen die Geld?"

„Wir natürlich."

„Und wer bekommen die Entschuldigung?"

„Die Vereinigten Staaten. Aber ich glaube, wir können's uns aussuchen. Wenn wir wollen, müssen sie sich bei uns entschuldigen, und die Regierung kriegt das Geld."

„Wieviel Geld, Herr Tom?"

„Also, bei einem so schweren Verbrechen gibt es bestimmt drei Dollar für jeden — vielleicht mehr."

„Oh, das sein aber viel! Wir nehmen die Geld, Herr Tom — ich auf die Entschuldigung pfeifen! Sie nicht auch meinen?"

Wir überlegten uns die Sache eine Weile, und dann sagten wir, Jim hat schon recht, und wir nehmen das Geld. Mir war die ganze Sache neu, und ich fragte Tom, ob sich die Länder immer entschuldigen, wenn sie was falsch gemacht haben, und er sagte: „Ja, die kleinen schon."

Wir flogen um die Pyramiden herum und guckten sie uns genau an, und dann stoppten wir über der größten. Sie war oben ganz flach, und wir hockten uns drauf. Alles war genauso, wie der Bursche in der Sonntagsschule behauptet hatte. Die Pyramide sah aus wie vier Treppen, die an der Spitze zusammenkommen; nur konnte man diese Treppen nicht hinaufgehen wie andere Treppen, weil uns jede Stufe bis ans Kinn reichte — wenn man auf die nächste wollte, mußte hinten einer schieben. Die beiden andern Pyramiden waren nicht weit weg. Ein paar Leute spazierten zwischen ihnen herum; sie sahen aus wie krabbelnde Käfer, so hoch waren wir über ihnen.

Tom war ganz aus dem Häuschen, weil er an einem so berühmten Ort war, und es fielen ihm tausend Sachen aus der Geschichte ein. Er sagte, er kann es kaum fassen, daß er auf demselben Fleck steht, von dem der Prinz mit seinem Bronzepferd davonflog. Das war natürlich wieder aus Tausendundeiner Nacht, und das ging so: Es war einmal ein Prinz, der hatte ein Bronzepferd; das konnte fliegen wie ein Vogel, durch die ganze Welt; und an seiner Schulter war ein Hebel, das war das Steuer. Wenn der Prinz den Hebel nach oben drehte, flog er höher, und wenn er nach unten drehte, flog er tiefer. Und er konnte ihn auch nach links und rechts drehen und überhaupt hinfliegen, wohin er wollte.

Als Tom zu Ende erzählt hatte, sagten wir kein Wort, und das war ein bißchen peinlich. Wenn jemand ein Märchen erzählt und selber noch daran glaubt, dann tut er einem leid, und man will von was anderem sprechen. Aber uns fiel nichts ein, und schon war die Stille da; ich war verlegen, Jim war verlegen, und keiner von uns brachte ein Wort heraus. Tom sah mich eine Minute finster an, dann sagte er: „Raus mit der Sprache! Was geht in deinem Gehirnkasten vor? "

Da half alles nichts, ich mußte die Katze aus dem Sack lassen.

„Tom Sawyer, das glaubst du doch selber nicht!"

„Was glaube ich selber nicht? "

„Daß ein Pferd fliegen kann."

„Und wieso nicht? "

„Also so was! Das weiß doch jedes kleine Kind, daß ein Pferd — "

„Und ich sage, daß es trotzdem sein kann."

„Und warum? "

„Warum? Der Ballon kann doch auch fliegen. Sind dieser Ballon und das Bronzepferd in diesem Fall nicht das gleiche? "

„Nein, überhaupt nicht. Ein Ballon ist ein Ballon, und ein Bronzepferd ist ein Bronzepferd, und das sind für mich zwei Paar Stiefel. Als nächstes behauptest du, ein Haus und eine Kuh sind das gleiche."

„Junge, Junge, das haben Huck fein gemacht!" sagte Jim. „Jetzt er sich nix können rausreden."

„Halt die Klappe, Jim!" rief Tom dazwischen. „Du weißt nicht, was du daherredest, und Huck genausowenig. Also, Huck, ich werde versuchen, es in deinen Schädel zu bringen. Weißt du, die äußere Form hat nichts damit zu tun, ob etwas gleich ist wie etwas anderes. Es kommt nur aufs Prinzip an; und das Prinzip ist bei beiden genau dasselbe. Hast du kapiert? "

„Tom, das hat doch keinen Zweck. Ein Prinzip ist schön und gut, aber wenn ein Ballon etwas kann, dann ist das überhaupt kein Beweis, daß ein Pferd das auch kann."

„Der Idiot will nichts begreifen! Jetzt hör mir mal eine Minute zu – es ist völlig klar. Fliegen wir nicht durch die Luft? "

„Ja."

„Sehr gut. Fliegen wir nicht hoch oder tief, wie's uns gerade paßt? "

„Ja, aber – "

„Nichts aber. Also, wir fliegen, wohin wir wollen, und landen, wo wir wollen. Stimmt's? "

„Ja."

„Gut. Wie steuern wir den Ballon? "

„Wir drücken auf die Knöpfe."

„Na also! Jetzt ist dir die Sache hoffentlich klar. Wir drücken auf die Knöpfe, und der Prinz drehte an einem Hebel. Da ist überhaupt kein Unterschied. Ich wußte doch, daß du es kapierst, wenn ich dich lange genug bearbeite!"

Dann begann Tom ganz fröhlich zu pfeifen. Aber ich und Jim guckten ganz belämmert, und da hörte er überrascht auf und stöhnte: „Jetzt sag bloß, Huck Finn, daß du es noch immer nicht begriffen hast!"

Ich sagte: „Tom Sawyer, ich möchte dir ein paar Fragen stellen."

„Schieß los", antwortete er, und ich sah, daß Jim die Ohren spitzte.

„Also, wie ich die Sache sehe, hängt alles an den Knöpfen und dem Hebel – der Rest spielt keine Rolle. Ein Knopf ist zwar was anderes wie ein Hebel, aber das ist uns jetzt egal."

„Ja, das spielt auch keine Rolle. Sie haben den gleichen Zweck; man kann mit beiden steuern."

„Gut. Was kann man mit einer Kerze und mit einem Streichholz? "

„Man kann was damit anzünden."

„Richtig. Dann sind sie also in dem Fall das gleiche."

„Genau."

„Sehr gut. Jetzt nehmen wir mal an, ich zünde eine Schreinerwerkstatt mit einem Streichholz an – was passiert? "

„Die Werkstatt brennt ab."

„Ganz recht. Und jetzt halte ich eine Kerze an diese Pyramide. Brennt dann die Pyramide ab? "

„Natürlich nicht!"

„Aha! Also: mit einem Streichholz kann man was anzünden, und mit einer Kerze auch. Warum brennt dann die Werkstatt, und die Pyramide nicht? "

„Weil eine Pyramide nicht brennen kann!"

„Da haben wir's. Und ein Pferd kann auch nicht fliegen!"

Jim meckerte wie ein Ziegenbock. „He, he, wenn das nicht sein verdammt schlau! So was! Also nein, das sein schlauste Falle, wo ich überhaupt – he, he – "

Da kriegte er einen solchen Lachanfall, daß er nur noch lallen konnte und kein vernünftiges Wort mehr herausbrachte. Tom hatte eine Bombenwut, weil ich ihn so sauber hereingelegt hatte — geschlagen mit seinen eigenen Waffen, wie man so sagt. Er zischte nur noch, wenn er mich und Jim hört, schämt er sich für die ganze Menschheit. Ich sagte keinen Ton mehr — ich war sehr mit mir zufrieden. Wenn ich einen Gegner so besiegt habe, geb ich nicht noch groß damit an, wie es manche machen. Ich denke mir immer, wenn ich an seiner Stelle wäre, wollte ich auch nicht, daß er auf meine Kosten große Töne spuckt. Es macht sich immer gut, wenn man großzügig ist — das ist meine Meinung.

13

Dann ließen wir Jim wieder allein und gondelten zwischen den Pyramiden herum. Wir kletterten auch in das Loch, wo man in den Tunnel kommt, und nahmen ein paar Kerzen mit. Und in der Mitte der Pyramide fanden wir tatsächlich einen Raum mit einem großen Steinkasten für ihren alten König, genau wie der Bursche in der Sonntagsschule erzählt hatte. Aber jetzt war der König verschwunden — jemand hatte ihn geklaut. Mir gefiel's hier sowieso nicht besonders, weil es vielleicht Geister hatte, natürlich schon ziemlich alte und vertrottelte, aber mir kann jede Sorte Geist gestohlen bleiben.

Also kletterten wir wieder ans Tageslicht. Wir trafen
auch ein paar Araber, und ich hatte ein bißchen Angst,
daß sie vielleicht auf uns schießen würden. Aber sie
waren ganz friedlich, und Tom ging hin und sagte was
zu ihnen; sie kapierten ihn nicht und wedelten mit den
Armen aufgeregt in der Luft herum, und Tom kapierte
auch nichts.

Aber endlich begriff er doch was, und er kam zurück und sagte, sie hätten ein paar Esel, die könnten
wir mieten. Das taten wir, und so ritten wir ein Stück,
und dann fuhren wir ein Stück mit dem Boot. Dann
ritten wir wieder auf Eseln, und schließlich kamen wir
nach Kairo. Die ganze Strecke ritten wir auf einer

schönen ebenen Straße; auf beiden Seiten standen Dattelpalmen, und überall wimmelten nackte Kinder herum, und die Männer waren rot wie Krebse und sahen ganz toll aus — edel und stark und schön, wie richtige Helden.

Kairo ist eine seltsame Stadt. Solche engen Straßen — ach was, Straßen, es waren höchstens Gäßchen —, und sie wimmelten von Männern mit Turbanen und Frauen mit Schleiern, und ihre Kleider schillerten in allen möglichen Farben, wie ein Regenbogen. Ich wunderte mich, wie die vielen Menschen und Kamele überhaupt aneinander vorbeikamen und nicht dauernd zusammenboxten — es war ein schreckliches Durcheinander, und sie machten natürlich einen Höllenlärm. Die Läden waren so winzig, daß man sich drinnen nicht umdrehen konnte. Aber man brauchte gar nicht hineingehen; der Mann, dem der Laden gehörte, saß wie ein Schneider auf dem Tisch und rauchte seine lange Pfeife. Alle seine Sachen lagen um ihn herum, und wenn er was wollte, mußte er nicht mal aufstehen. Er saß halb auf der Straße, und die Kamele wischten ihm im Vorbeigehen mit dem Schwanz übers Gesicht.

Ab und zu rumpelte eine Kutsche vorbei, mit einem fetten alten Kerl darin; voran rannten ganz komisch angezogene Burschen und brüllten. Sie hatten einen Stecken, und jeder, der nicht gleich zur Seite sprang, bekam eins übergezogen. Schließlich kam sogar der Sultan. Er ritt auf einem Pferd, und hintendrein kam sein ganzer Hofstaat. Die Leute hatten die kostbarsten Kleider, und alles funkelte und glitzerte — uns blieb die Spucke weg, so toll sah das aus! Alle Umstehenden warfen sich flach auf den Bauch und berührten mit dem Gesicht den Boden. Aber ich blieb ganz verdattert stehen, und da kam schon ein Kerl mit einem Stecken auf mich zugeschossen. Ich hatte keine Lust, ihn kennenzulernen, und so flitzte ich um die Ecke, Tom und der Kerl hinter mir her. Ich rannte wie der Teufel durch ein paar enge Gassen, und plötzlich stand ich vor einer Kirche.

„Zieh deine Schuhe aus!" hörte ich Tom hinter mir. Ich dachte, er spinnt, denn wenn ich jetzt die Schuhe ausziehe, hat mich der Kerl garantiert beim Wickel. Aber als ich mich umsah, stand nur Tom da; von dem Burschen mit dem Stecken keine Spur. Tom sagte, der habe es bald aufgegeben, weil er schließlich auch noch andere Leute verdreschen müsse.

Jetzt wollte ich aber doch wissen, warum ich die Schuhe ausziehen sollte. Tom sagte, er habe gedacht, ich will in die Kirche, und da muß ich eben die Schuhe ausziehen — sonst macht mir gleich noch einer von den Kerlen Beine. Das sind schon komische Sitten, was?

Ich sagte, ich sei nur zufällig zu der Kirche gerannt, aber jetzt war ich doch neugierig. Also zogen wir die Schuhe aus und gingen barfuß hinein. In der Kirche waren eine Menge Männer und Jungen; sie hockten in lauter kleinen Gruppen auf dem Steinboden und machten einen gewaltigen Lärm. Tom sagte, sie lernten ihre Lektion aus dem Koran auswendig; sie denken nämlich, der Koran sei eine Bibel, und wer es besser weiß, sagt das lieber nicht laut. Nie im Leben habe ich eine so riesige Kirche gesehen; mir wurde ganz schwindlig, als ich hinaufsah. Unsere Dorfkirche kommt da überhaupt nicht mit; man könnte sie hier hereinstellen, und die Leute würden denken, es sei eine Kleiderkiste.

Ich war ganz wild darauf, einen Derwisch zu sehen, weil ich immer noch an den einen dachte, der den Kameltreiber hereingelegt hatte. Wir trafen eine ganze Menge in einer anderen Kirche. Sie hießen tanzende Derwische, und sie tanzten und hüpften und wirbelten durcheinander, daß einem ganz zweierlei wurde. Ihre Hüte sahen aus wie Zuckerwürfel, und außerdem hatten sie Leinenröcke; sie drehten sich wie die Kreisel, und die Röcke flogen nur so durch die Luft. Das sah vielleicht toll aus! Tom sagte, sie seien alle Moslems, aber das kapierte ich nicht. Und als ich fragte, was das war, sagte Tom, ein Moslem sei das Gegenteil von einem anständigen Christen. Also gibt es viele Moslems in Missouri, und das wunderte mich ziemlich.

Wir sahen nicht mal die Hälfte von dem, was es in Kairo zu sehen gab, weil Tom dauernd nach irgendwelchen Stellen jagte, wo mal in der Geschichte was passiert war. Wir brauchten eine Ewigkeit, bis wir die

Kornkammer gefunden hatten, in der Josef das Getreide aufbewahrte, als die Hungersnot kam. Und als wir endlich vor ihr standen, war ich ziemlich enttäuscht, weil sie uralt und ganz schäbig aussah. Aber Tom war ganz begeistert und machte ein größeres Theater als ich, wenn ich in einen Nagel trete. Es war mir ein Rätsel, wie Tom die Kornkammer überhaupt erkannt hatte. Wir waren an mindestens vierzig solcher Bruchbuden verbeigekommen; eine sah aus wie die andere, und mir wäre jede recht gewesen, aber für Tom mußte es ausgerechnet diese sein. Er erkannte sie sofort, wie ich mein zweites Hemd erkennen würde, wenn ich eines hätte; aber er konnte selbst nicht erklären, warum.

Am längsten suchten wir ein Haus, wo irgendein Junge aus Tausendundeiner Nacht gewohnt hatte; seine Geschichte habe ich vergessen, und sie ist mir auch völlig schnuppe. Also, wir suchten und suchten, und denkt euch nur — das Haus war verschwunden, schon vor ein paar hundert Jahren! Tom kniete nämlich plötzlich auf den Boden, zog einen alten Ziegelstein aus dem Dreck und sagte, das sei der Rest von dem Haus. Also da war ich doch platt! Woher wußte er das? Erkannte er ihn, weil er immer so viel aus Büchern lernte, oder hatte er es einfach im Gefühl?

Ich hab mir lange darüber den Kopf zerbrochen, und ich glaube, er hatte es im Gefühl. Er wußte auch nur, wo die Stelle war, an der der Ziegelstein sein mußte; den Ziegelstein selber erkannte er nicht. Das merkte ich später, weil ich es ausprobierte. Tom nahm den Stein mit; wenn wir wieder zu Hause wären, wollte er ihn einem Museum geben, und sie sollten

draufschreiben, daß er ihn gefunden hatte. Er schob ihn also in die Hosentasche, und ich zog ihn nachher heimlich heraus und steckte einen anderen Ziegelstein hinein. Er sah ganz gleich aus, und Tom merkte den Unterschied nicht – obwohl es schon ein Unterschied ist, wenn man keinen wertvollen Ziegelstein mehr hat, sondern bloß noch einen ganz gewöhnlichen.

Jim freute sich mächtig, als wir wieder zum Ballon zurückkamen, weil wir ziemlich lange fortgeblieben waren und er allein ein bißchen Angst hatte; und ich freute mich auch, denn mit Tom in Kairo war's ganz schön anstrengend gewesen. Wir flogen los und machten gewaltig Dampf, und nach dem Mittagessen waren wir schon an der Stelle, wo die Juden durch das Rote Meer zogen. Wißt ihr, das war die Geschichte, als ihnen der Pharao nachjagte und im Meer ersoff.

Wir machten eine Pause und sahen uns die Stelle genau an. Jim war ganz außer sich vor Begeisterung. Er sagte, er sieht alles noch genau vor sich: wie die riesigen Wellen auseinandergehen und die Juden durchziehen und wie die Ägypter daherbrausen; wie die Juden am andern Ufer sind und die Ägypter auch durchs Meer wollen und wie sie alle drin sind und die Wellen zusammenschlagen und sie mit Mann und Maus ersaufen.

Als wir uns satt gesehen hatten, flogen wir weiter und kamen zum Berg Sinai, an die Stelle, wo Mose die Tafeln zerbrach und wo die Juden ein Lager machten und das Goldene Kalb anbeteten. Das war alles unheimlich aufregend, und wir konnten nicht genug davon kriegen.

Aber da passierte ein Unglück, und das verdarb uns alles. Toms Pfeife ging kaputt. Wißt ihr, er hatte sie selbst aus einem Maiskolben gemacht, und sie war schon uralt und aufgedunsen und hielt nicht mehr zusammen — sie fiel einfach auseinander. Tom war ganz verzweifelt, das könnt ihr euch vorstellen. Es war noch eine Pfeife vom Professor da, aber die taugte nicht, sie war aus Meerschaum, und wenn man an einen Maiskolben gewöhnt ist, rührt man keine andere Pfeife an. Ich sagte, er kann meine haben, aber das wollte er auch nicht. So standen wir also ganz dumm da. Tom überlegte hin und her, aber es fiel ihm nichts

Gescheites ein. Er sagte, es hat keinen Zweck, in Ägypten oder Arabien eine Maiskolbenpfeife zu suchen, weil sie hier ganz andere Pfeifen haben. Dann hockte er sich auf den Boden und guckte trübselig in die Gegend; aber plötzlich sprang er auf und rief, er habe eine Idee.

„Ich hab noch eine solche Pfeife", sagte er, „und sie ist auch ganz toll und fast neu. Sie liegt zu Hause in der Küche, auf dem Brett über dem Herd. Jim, du wirst sie holen, und Huck und ich schlagen hier auf dem Berg Sinai ein Lager auf, bis du wieder zurück bist."

„Was?" rief Jim erschrocken. „Ich sollen Pfeife holen? Aber ich doch nix können – "

„Du kannst doch den Ballon steuern, und – "

„Nein, nein, ich nix können – ich nix können finden unsere Dorf, nie im Leben. Ich nix finden Amerika!"

Daran hatte Tom nicht gedacht, und eine Weile war er ziemlich ratlos; aber dann versuchte er's nochmal.

„Ach was, das wird schon klappen. Ich sag dir genau, wie's geht. Also, du richtest den Kompaß und fliegst pfeilgerade nach Westen, und wenn das Meer aufhört und das Land anfängt, dann bist du in Amerika. Das ist doch ganz einfach! Dann fliegst du immer weiter geradeaus, und in anderthalb Stunden bist du an der Mündung des Mississippi. Den wirst du ja noch kennen! Also, du folgst dem Mississippi, und in kaum zwei Stunden bist du am Ohio. Weiter oben links kommt der Missouri, das ist schon nicht mehr weit bis St. Louis. Dann gehst du tiefer und siehst dir die Dörfer genau an; in einer Viertelstunde kommst du an

etwa fünfundzwanzig vorbei, und unseres kennst du ja gleich, und – "

„Ach, Herr Tom, ich nix können, ich ganz genau wissen!"

Aber Tom holte schon die Karte und hielt sie Jim unter die Nase.

„Jetzt sieh doch mal her! Wenn du genau nach Westen fliegst, sind es nur etwa siebentausend Meilen – ein Katzensprung! Wenn du dreihundert Meilen in der Stunde fliegst, schaffst du es in vierundzwanzig Stunden."

„Ojemine! Vierundzwanzig Stunden! Ich nix können, Herr Tom – ich bestimmt nix können. Vierundzwanzig Stunden ganz allein in die Ballon – und dann zurück! Immer müssen Wache stehen, sonst verirren! Und wie ich sollen schlafen?"

Jetzt war Tom endgültig geschlagen. Es war sowieso eine verrückte Idee, Jim allein loszuschicken; aber wenn Tom seine Pfeife nicht hatte, konnte er nicht mehr klar denken. Doch jetzt sah er's ein, und schließlich sagte er: ,,Also da hilft alles nichts: Wir müssen alle fliegen.''

Jim fiel ein Stein vom Herzen, das könnt ihr mir glauben. Er wurde ganz fröhlich, aber ich war ein bißchen traurig, und Tom auch. Ich wäre gern noch eine Weile geblieben, aber ohne Toms Pfeife ging's eben nicht.

Wir machten alles startklar, und dann stiegen wir auf und segelten davon. Bald kamen wir ans Meer, und als das Land hinter uns verschwand, gab's mir einen kleinen Stich. Aber je weiter wir flogen, desto lustiger wurden wir, weil wir bald nach Hause kamen. Und zu Hause ist's doch auch ganz schön!

Tom Sawyer als Detektiv

1

Kennt ihr das Frühlingsfieber? Nein? Also, im Frühling sind die meisten Leute müde, aber ich nicht. Ich freue mich, daß es wieder wärmer wird und daß die blöden Wintersachen in den Schrank kommen. Dann denke ich, wie toll das ist, wenn man wieder barfuß laufen kann, und dann kommt die Murmelzeit und dann die Kreiselzeit und dann die Reifenzeit, und überhaupt gibt's dann wieder eine Menge tolle Spiele. Ich spiele auch gern mit meinem Taschenmesser und werfe es in den Boden, ob es steckt. Die Witwe Douglas sagt, das ist gefährlich, aber es ist nur gefährlich, wenn man seinen großen Zeh trifft, aber so ungeschickt bin ich nicht. Und wenn man noch ein bißchen wartet, kann man seinen Drachen steigen lassen; dann ist es Sommer, und man geht zum Baden. Wenn ich mir das alles ausmale, kriege ich richtig Heimweh nach dem Sommer; ach, und er ist noch so weit! Ja, da seufze ich ein bißchen und bin traurig, und irgendetwas ist mit mir los, ich weiß auch nicht genau, was. Dann gehe ich ganz allein fort und denke über alles mögliche nach; meistens suche ich mir ein einsames Plätzchen droben am Waldrand, und da hocke ich und starre auf den großen Mississippi im Tal hinab. Von dem Hügel sieht man viele Meilen weit, und in der Ferne ist alles grau und neblig. Es ist ganz still hier oben und so feierlich, und man fühlt sich so einsam; man könnte denken, alle Freunde seien tot und begraben, und man wünscht fast, man sei auch tot und begraben.

Das ist das Frühlingsfieber. Wenn du es hast, willst du – oh, du weißt nicht genau, was du willst, aber du willst es mit Teufelsgewalt, und das Herz zerspringt dir fast dabei. Also, erst mal willst du weg – weit weg von all dem gewöhnlichen Kram, den du so satt hast, und du willst etwas Neues sehen. Du willst hinaus in die Ferne, wie es in dem Lied heißt, in fremde Länder, wo alles so seltsam und abenteuerlich und einfach toll ist. Und wenn es nicht so weit geht, dann bist du auch mit weniger zufrieden. Du würdest überall hinfahren, wo du nur kannst, einfach so, nur damit du mal fortkommst.

So ging's jedenfalls mir, und so ging's auch Tom Sawyer. Wir hatten beide das Frühlingsfieber, und zwar im höchsten Grad. Das Dumme war nur, daß Tom auf keinen Fall wegkonnte; seine Tante Polly hätte es nie erlaubt, daß er die Schule schwänzt und irgendwo herumbummelt und die Zeit totschlägt. Ja, das war schon eine traurige Geschichte!

So saßen wir eines Abends ziemlich belämmert auf der Haustreppe, als Tante Polly mit einem Brief in der Hand herauskam und sagte: „Tom, ich glaube, du mußt deine Sachen packen."

„Warum denn? "

„Tante Sally hat geschrieben. Sie will, daß du nach Arkansas kommst."

Ich fuhr beinah aus der Haut vor Freude. Ich dachte, Tom fällt seiner Tante gleich um den Hals und drückt sie fast zu Tode. Aber ihr werdet's nicht glauben: Er blieb sitzen wie ein Felsblock und sagte keinen Ton! Ich hätte heulen können, weil er sich so blöd anstellte. Da hatten wir eine solche Chance, und er rührte sich nicht! Wenn er nicht bald was sagte, konnte uns die ganze Reise durch die Lappen gehen. Aber er hockte ganz regungslos da und guckte in die Luft, bis ich schon völlig aus dem Häuschen war. Und dann sagte er auch noch seelenruhig: „Also, Tante Polly, es tut mir schrecklich leid, aber ich fürchte, es geht nicht – wenigstens jetzt nicht."

Ich hätte ihn erschießen können! Tante Polly war so vor den Kopf geschlagen, daß sie keinen Pieps herausbrachte. So konnte ich Tom heimlich in die Rippen stoßen, und ich flüsterte ihm zu: „Sag mal, bist du von allen guten Geistern verlassen? Du läßt dir eine solche Chance entgehen? "

Aber Tom ließ sich nicht aus der Ruhe bringen, und er murmelte zurück: „Soll sie vielleicht merken, daß ich schrecklich gern ginge? Da würden ihr auf der Stelle Zweifel kommen, und es würden ihr hundert Krankheiten und Gefahren einfallen; und bevor du überhaupt weißt, was los ist, hat sie nein gesagt. Laß mich nur machen — ich weiß schon, wie man ihr beikommt."

Also darauf wäre ich nie gekommen. Aber er hatte recht — Tom Sawyer hatte eben immer recht. Er hatte das schlaueste Köpfchen, das mir je begegnet ist; immer war er auf Draht, immer auf das Schlimmste gefaßt. Allmählich kam seine Tante Polly wieder zu sich, und jetzt legte sie los: „Es geht nicht! Es geht nicht! Das hab ich doch mein Lebtag noch nie gehört! Wie kommst du überhaupt dazu, so mit mir zu reden? Sofort gehst du rauf und packst deine Sachen!" Sie konnte sich gar nicht beruhigen. „Also so was! Ich werd dir schon noch zeigen, ob es geht — mit dem Stock, wenn's sein muß!"

Als wir uns an ihr vorbeischoben, klopfte sie Tom mit ihrem Fingerhut auf den Kopf. Das spürte Tom überhaupt nicht, aber er tat sehr beleidigt und nörgelte die ganze Zeit. Doch als wir in seinem Zimmer waren, haute er mir auf die Schulter und machte einen Luftsprung. So freute er sich, daß wir verreisen durften! Dann sagte er: „Bevor wir weg sind, wird's ihr leid tun, daß sie mich fahren läßt. Aber es wird ihr nichts einfallen, wie sie's abbiegen kann. Sie kann nicht mehr zurück, dazu ist sie zu stolz."

Tom war in zehn Minuten fix und fertig, aber wir warteten nochmals zehn Minuten, bis seine Tante den schweren Schlag verwunden hatte. Tom sagte, sie braucht zehn Minuten, wenn sie eine mittlere Wut hat; aber wenn sie eine mächtige Wut hat, braucht sie zwanzig — und diesmal hatte sie eine mächtige Wut. Dann gingen wir ganz aufgeregt hinunter, weil wir darauf brannten, was in dem Brief stand.

Sie saß ganz traurig da und hatte den Brief auf dem Schoß. Wir hockten uns hin, und sie sagte: „Sie haben große Sorgen dort unten, und sie denken, du und Huck, ihr könntet sie etwas ablenken — ‚trösten‘, schreibt sie. Ihr seid mir ein schöner Trost! Sie haben einen Nachbarn, der will schon seit einem Vierteljahr Benny heiraten — Brace Dunlap heißt er. Endlich haben sie ihm klipp und klar gesagt, daß er sie nicht kriegt, und nun macht er ihnen das Leben schwer, wo er nur kann. Ich glaube, er ist einer, den man besser nicht zum Feind hat — sie tun alles, um ihn zu besänftigen. Sie haben sogar seinen Bruder als Knecht angestellt, obwohl sie sich's kaum leisten können. Der Bruder ist auch noch ein Taugenichts, und von ihnen aus könnte er hingehen, wo der Pfeffer wächst. Sagt mal — kennt ihr die Dunlaps? "

„Ja, sie wohnen etwa eine Meile von der Farm von Onkel Silas", sagte Tom, „so weit wohnen dort alle Farmer auseinander. Brace Dunlap ist der Reichste von allen, und er hat eine ganze Kompanie Nigger. Er ist vielleicht sechsunddreißig; seine Frau ist gestorben, und er hat keine Kinder. Natürlich bildet er sich eine ganze Menge auf sein Geld ein; er kommandiert alle herum, und alle haben ein bißchen Schiß vor ihm. Er dachte sicher, er kann jedes Mädchen haben, und wenn er pfeift, kommen sie angelaufen. Jetzt muß er ganz schön sauer sein, weil er Benny nicht kriegt. Er könnte ihr Vater sein, und Benny ist so lieb und — na, du kennst sie ja. Der arme Onkel Silas! Es ist zum Heulen, daß er solche Sachen machen muß — diesen blöden Jubiter Dunlap anstellen, wo er so arm ist und schon genug Sorgen hat. Und das nur diesem gemeinen Kerl zuliebe!"

„Was für ein komischer Name — Jubiter! Wie kommt er dazu? "

„Es ist nur ein Spitzname, aber alle nennen ihn so, und seinen richtigen Namen haben sie längst vergessen. Er ist jetzt siebenundzwanzig, glaube ich, und den Namen kriegte er schon, als er das erste Mal zum Baden ging. Das hat mir mal jemand erzählt. Als er in der Badehose dastand, sah der Lehrer, daß er über dem Knie einen großen Leberfleck hatte und vier kleine drum herum; da sagte er, das sieht aus wie Jubiter und seine Monde — das ist nämlich ein Stern. Die Kinder fanden das unheimlich lustig, und so sagten alle zu ihm Jubiter, und so heißt er heute noch. Er ist ein großer, dummer Kerl und drückt sich, wo er nur kann, und außerdem ist er ziemlich feige. Er ist eine richtige Schlange, aber harmlos wie eine Blindschleiche, und eigentlich tut er niemand was. Er hat lange braune Haare und keinen Cent, und Brace läßt ihn umsonst bei sich wohnen und gibt ihm seine alten Kleider und hält sich für hundertmal besser als er. Jubiter hat auch noch einen Zwillingsbruder."

152

„So, und was ist das für einer? "

„Er sieht haargenau so aus wie Jubiter, sagen die Leute. Jedenfalls sah er vor sieben Jahre noch so aus — seitdem ist er nämlich verschwunden. Er klaute schon mit neunzehn, und sie schnappten ihn und steckten ihn ins Kittchen. Aber er entwischte ihnen und floh — irgendwo in den Norden, genau weiß es kein Mensch. Es gab natürlich ein großes Gerede, und ab und zu hieß es, er sei ein Räuber und Einbrecher geworden, aber das ist schon ein paar Jahre her. Jetzt weiß man gar nichts mehr von ihm, und die Leute glauben, er ist tot."

„Und wie hieß er? "

„Jake."

Eine ganze Weile sagte niemand was. Toms Tante grübelte nach, und schließlich sagte sie: „Am meisten Sorgen macht es deiner Tante Sally, daß dieser Jubiter deinen Onkel fast wahnsinnig macht. Er kriegt oft eine solche Wut — "

„Wut? " Tom war ganz platt, und ich auch. „Onkel Silas und Wut? Das ist doch ein Witz! Ich hab ihn noch nie wütend gesehen."

„Er kriegt richtige Wutanfälle, schreibt deine Tante Sally. Man könnte Angst bekommen, daß er dem Kerl noch was antut."

„Das hätte ich nie für möglich gehalten. Er ist doch sanft wie ein Lamm."

„Also, sie ist einfach in Sorge. Sie schreibt, er ist ein ganz anderer Mensch geworden, nur wegen dieser Streiterei. Die Nachbarn reden schon darüber, und sie geben deinem Onkel natürlich die ganze Schuld, weil er ein Prediger ist und mit niemand streiten darf.

153

Tante Sally schreibt, er traut sich kaum noch auf die Kanzel, so schämt er sich. Manche zeigen ihm schon die kalte Schulter, und die meisten haben ihn nicht mehr so gern wie früher."

„Das sind mir aber schöne Sachen! Du weißt doch, Tante Polly, er war immer so gut und freundlich. Er tappte rum wie ein Schlafwandler und war schon ein bißchen vertrottelt und immer durcheinander — aber er war doch so ein lieber alter Kerl — einfach ein Engel! Was kann nur mit ihm los sein? "

2

Wir hatten mächtig Schwein — wir erwischten nämlich einen Dampfer, der bis zu diesem armseligen Flüßchen drunten in Louisiana fuhr, und so konnten wir den ganzen Mississippi bis zu der Farm in Arkansas hinunterfahren und mußten nicht in St. Louis umsteigen. Das waren fast tausend Meilen auf einen Streich!

Ziemlich einsam war's ja schon; die anderen Passagiere ließen sich an den Fingern einer Hand abzählen. Es waren fast nur alte Knacker, die vereinzelt im Deck hockten und dösten und überhaupt kaum den Mund aufmachten. Ganze vier Tage brauchten wir für den Oberen Mississippi, weil wir so oft auf Grund liefen. Aber es war gar nicht langweilig — Jungen, die eine solche Reise machen, kennen keine Langeweile.

Gleich am Anfang merkten Tom und ich, daß in der Kabine neben uns jemand krank sein mußte, weil der

154

Steward immer das Essen dorthinbrachte. Nach einer Weile fragten wir danach — das heißt, Tom fragte, und der junge Steward sagte, es sei ein Mann, aber er sehe nicht krank aus.

„Ja, aber — er ist doch krank? "

„Weiß ich nicht; vielleicht ist er's. Mir jedenfalls kommt's so vor, als spielt er nur den kranken Mann."

„Wie kommst du darauf? "

„Nun ja, wenn er krank wäre, würde er doch manchmal seine Sachen ausziehen — hab ich recht? Aber der tut's nicht. Jedenfalls zieht er nie seine Stiefel aus."

„Also so was! Nicht mal, wenn er ins Bett geht? "

„Nein."

Das war wieder etwas für Tom Sawyer — ein Geheimnis! Er war ganz wild auf Geheimnisse. Wenn jemand zu uns beiden sagen würde: „Hier hab ich ein Geheimnis und ein Stück Torte; schlagt euch drum!", dann würden wir uns ganz bestimmt nicht darum schlagen. Denn ich war schon immer scharf auf Torte, und Tom hat nichts als Geheimnisse im Kopf. Die Menschen sind eben verschieden; und so soll's auch sein.

„Wie heißt der Bursche? " fragte Tom den Jungen.

„Phillips."

„Wo ist er an Bord gegangen? "

„Ich glaub, in Elexandria, am Iowa."

„Was meinst du, was hier gespielt wird? "

„Keine Ahnung — hab mir nie drüber Gedanken gemacht."

Hier war noch einer, der die Torte genommen hätte.

„Fiel dir was Besonderes an ihm auf? Ich meine, sein Benehmen, sein Dialekt oder so was? "

„Nein — nichts; er hat nur ziemlich Schiß und schließt sich Tag und Nacht ein. Wenn ich klopfe, läßt er mich erst rein, wenn er zum Türspalt rausgeblinzelt hat und sieht, wer da ist."

„Junge, Junge, das wird spannend! Ich würde mir den Burschen gern mal ansehen. Sag mal — wenn du das nächste Mal reingehst, kannst du dann nicht die Tür aufreißen und — "

„Nein, ausgeschlossen! Er steht immer dahinter. Ich fürchte, er wird da nicht mitspielen."

Tom ließ sich das durch den Kopf gehen, und dann sagte er: „Also, jetzt hör mal zu: Du leihst mir deinen Frack, und ich bring ihm morgen sein Frühstück. Ich geb dir 'nen Vierteldollar."

Der Junge war mächtig scharf auf das Geld, aber er wußte nicht, was der Chefsteward dazu sagen würde. Tom meinte, das geht in Ordnung, und mit seinem Boß würde er schon klarkommen. Und tatsächlich — er schaffte es! Er brachte es sogar fertig, daß wir beide im Kellnerfrack zu ihm hineindurften.

In der Nacht davor machte Tom kein Auge zu; er war schrecklich aufgeregt und ganz wild darauf, diesem Phillips auf die Schliche zu kommen. Also grübelte er die ganze Nacht darüber nach, aber das war alles für die Katz; denn wenn man sowieso bald herauskriegt, was mit jemand los ist, was soll man sich da noch lange den Kopf zerbrechen, was nicht mit ihm los ist? Ich jedenfalls ließ mir meinen Schlaf nicht nehmen. Ich sagte mir einfach, Huck, dem Phillips sein Geheimnis ist dir keinen Schuß Pulver wert.

Am nächsten Morgen warfen wir uns also in Schale und brachten ihm sein Frühstück. Tom klopfte. Der

Mann öffnete vorsichtig einen Spalt, dann ließ er uns herein und schlug schnell die Tür zu. Erst jetzt sahen wir ihm ins Gesicht, und — ach, du ahnst es nicht! — ich ließ fast das Tablett fallen. Tom faßte sich als erster. „Um Himmels willen, Jubiter Dunlap!" schrie er. „Was machst du denn hier? "

Dem Kerl blieb natürlich die Spucke weg. Er wurde ganz weiß im Gesicht, und erst mal glotzte er uns an, als wüßte er nicht, ob er weinen oder lachen sollte oder beides zusammen. Doch allmählich bekam er wieder Farbe, und schließlich brachte er den Mund auf.

„Aber — ich bin nicht Jubiter Dunlap!" stammelte er. „Ich — ich sag euch gleich, wer ich bin. Aber ihr müßt schwören, daß ihr dichthaltet — denn ich bin auch nicht Phillips."

„Wir werden schweigen wie ein Grab", versicherte Tom. „Aber Sie brauchen uns nicht zu sagen, wer Sie sind, wenn Sie nicht Jubiter Dunlap sind."

„Warum?"

„Weil — wenn Sie nicht Jubiter sind, dann bist du Jake, sein Zwillingsbruder. Du bist Jubiter wie aus dem Gesicht geschnitten."

„Ja, ich bin Jake. Aber sagt doch, woher kennt ihr uns Dunlaps?"

Tom erzählte von den Abenteuern, die wir damals im Sommer bei Onkel Silas erlebt hatten. Als er merkte, daß wir über seine Familie haarklein Bescheid wußten, hielt er nicht mehr hinterm Berg und schüttete uns sein Herz aus. Er nahm kein Blatt vor den Mund; er gab zu, daß er immer schon ein übler Bursche gewesen war und das wohl bis an sein seliges Ende bleiben würde. Sein Leben sei zwar gefährlich, aber —

Plötzlich fuhr er herum und hielt die Luft an — war da was an der Tür? Wir hielten natürlich auch den Mund, und eine Weile war es mucksmäuschenstill — wir hörten nur das Knarren der Balken und das Tuckern aus dem Maschinenraum.

Langsam beruhigte er sich wieder, und wir erzählten ihm von seinen Leuten; daß die Frau von Brace vor drei Jahren gestorben war und Brace jetzt Benny heiraten wollte; daß Benny ihn abblitzen ließ, und daß Jubiter bei Onkel Silas arbeitete und dauernd mit ihm Krach hatte. Da lachte er plötzlich los.

„Ach Gott!" rief er. „Wenn ich euch so zuhöre, fühl ich mich direkt in die alten Zeiten versetzt. Ah, das tut gut! Seit über sieben Jahren hab ich nichts von zu Hause gehört. Was reden sie denn so von mir?"

„Wer?"

„Die Farmer — und meine Familie."

„Ja, also — sie reden eigentlich gar nicht von dir. Oder wenigstens nur selten, alle paar Wochen mal."

„Na so was!" rief er überrascht. „Wie kommt das?"

„Woher das kommt? Das kommt daher, weil sie glauben, du seist schon längst tot."

„Nein! Ist das wirklich wahr? Jetzt aber ehrlich!" Und er sprang ganz aufgeregt vom Sitz.

„Ja, ganz ehrlich — das ist kein Witz. Kein Mensch glaubt, daß du noch lebst."

„Hurra!" brüllte er. „Ich bin gerettet, gerettet! Ich gehe nach Hause, und sie werden mich verstecken und mir das Leben retten. Ihr haltet dicht — schwört, daß ihr dichthaltet — schwört, daß ihr schweigt wie ein Grab. Ach, ihr seid so gut zu einem armen Teufel, der Tag und Nacht gehetzt wird und sich nirgends blicken lassen kann! Ich hab euch nie was getan, und ich werd euch nie was tun, so wahr es einen Gott im Himmel gibt — nur schwört, daß ihr mir helft, mein Leben zu retten!"

Wir hätten auch geschworen, wenn er ein Hund gewesen wäre, also schworen wir. Ich kann euch gar nicht sagen, wie dankbar er war, der arme Kerl — es fehlte nur noch, daß er uns um den Hals fiel.

Wir unterhielten uns weiter, und schließlich holte er eine kleine Reisetasche vor und sagte, wir sollten uns umdrehen.

Das taten wir, und als wir wieder hinsehen durften, stand ein anderer Mensch vor uns. Er hatte eine Sonnenbrille auf der Nase und den schönsten Bart, der sich denken läßt — einen Backenbart und einen

Schnurrbart, und er sah ganz echt aus. Seine eigene Mutter hätte ihn so nicht erkannt. Er fragte, ob er jetzt immer noch wie sein Bruder Jubiter aussehe, und Tom sagte: „Nein, nichts erinnert mehr an ihn — nur dein langes Haar."

„Also gut, ich schneid mir's ab, bevor ich nach Hause gehe. Jubiter und Brace werden mein Geheimnis nicht verraten, und ich lebe wie ein Fremder bei ihnen, und die Nachbarn werden nie im Leben draufkommen, wer ich bin. Was meint ihr? "

Tom überlegte eine Weile, und dann sagte er: „Huck und ich werden natürlich kein Wort sagen — aber wenn du selbst ein Wort sagst, ist das schon ein bißchen riskant. Ich meine deine Stimme. Könnte es den Leuten nicht auffallen, daß sie ähnlich wie die von Jubiter klingt? Wer weiß — vielleicht denkt einer an den toten Bruder. Es gibt ja keinen Beweis, daß du tot bist."

„Donnerwetter!" rief er. „Du bist ein schlaues Bürschchen! Du hast völlig recht. Was mach ich nur? — Ah, ich hab's: Ich spiel den Taubstummen, wenn ein Nachbar in der Nähe ist. Wenn ich jetzt diese Kleinigkeit vergessen hätte und nach Hause gekommen wäre — aber ich wollte eigentlich gar nicht nach Hause. Ich wollte nur irgendwo hin, wo ich vor den Burschen sicher bin, die hinter mir her sind; dann wollte ich mich verkleiden und — "

Er machte plötzlich einen Satz nach der Tür und preßte sein Ohr ans Schlüsselloch — er keuchte und war ganz blaß. Dann flüsterte er: „Das klang wie das Klicken eines Gewehrs. Mein Gott, was ist das für ein Leben!" Dann sank er kraftlos in einen Sessel und wischte sich den Schweiß vom Gesicht.

3

Wir steckten nun fast dauernd mit Jake zusammen, und Tom und ich schliefen abwechselnd in seinem oberen Bett. Er sagte, er sei immer so einsam, und er freue sich so, ein bißchen Gesellschaft zu haben und mit jemand über seine Sorgen sprechen zu können. Wir waren mächtig scharf auf sein Geheimnis, aber Tom sagte, wir lassen uns am besten nichts anmerken, dann sagt er's uns wahrscheinlich irgendwann von selbst. Wenn wir Fragen stellten, könnte er nur Verdacht schöpfen, und dann würde er sich garantiert in sein Schneckenhaus verkriechen.

Tom hatte natürlich recht. Wir merkten genau, daß er gerne davon gesprochen hätte, aber anfangs schreckte er immer im letzten Augenblick zurück. Ein paarmal machte er schon den Mund dazu auf, doch dann redete er doch von was anderem. Allmählich begann er uns über die Passagiere auszufragen. Wir erzählten ein bißchen von ihnen, aber das genügte ihm nicht. Er wollte, daß wir sie genau beschrieben. Da zählte Tom alle Passagiere auf, die wir gesehen hattten, und sagte alles, was wir von ihnen wußten.

Als einer der übelsten und dreckigsten Burschen dran kam, begann Jake plötzlich zu zittern und zu keuchen. Endlich stieß er heiser hervor: „Großer Gott, das ist er! Das ist einer der Burschen! Sie sind an Bord — ich wußte es. Im stillen hoffte ich, ich sei ihnen durch die Lappen gegangen, aber geglaubt hab ich's nie. Mach weiter, Tom!"

Als Tom einen anderen schäbigen Kerl beschrieb, kriegte er wieder das Zittern.

„Das ist — das ist der andere! Mein Gott, was mach ich bloß! Wenn nur eine schöne pechschwarze Nacht käme und am liebsten auch noch ein Sturm! Dann könnte ich vielleicht heimlich an Land. Wißt ihr, sie lassen mir nachspionieren. Sie gehen an die Bar und nehmen einen Drink, und dann bestechen sie einen Schuhputzer oder sonst jemand, daß er mir auf die Finger sieht. Wenn ich an Land ginge, würden sie es spätestens in einer Stunde wissen."

Eine Weile ging er ganz aufgeregt in der Kabine auf und ab — und dann begann er zu reden. Ja, endlich redete er, und es sprudelte nur so aus ihm heraus.

„Es war ein hübsches Spielchen — wir spielten es mit einem Juwelier in St. Louis. Wir waren hinter zwei niedlichen Diamanten her, so groß wie Haselnüsse; ganz St. Louis war auf den Beinen, um sie anzustaunen. Wir drehten das Ding am hellichten Tage, und es klappte wie geschmiert. Wir hatten uns in Schale geworfen und ließen uns den Diamanten ins Hotel kommen, zur Ansicht, wißt ihr. Die Fälschungen waren schon bereit. Wir untersuchten die Diamanten ganz genau, und dann wanderten die falschen in den Laden zurück; wir sagten, für zwölftausend Dollar könnten sie noch eine Spur besser sein."

Tom staunte Bauklötze. „Zwölftausend Dollar! Junge, Junge! Waren sie wirklich soviel wert? "

„Jeden Cent davon."

„Und ihr seid mit ihnen entwischt? "

„Ja, es war ein Kinderspiel. Der Juwelier merkte den Schwindel gar nicht. Aber in St. Louis wurde uns der Boden trotzdem zu heiß, und so sagten wir uns, wir hauen ab. Einer war für dahin, der andere für dorthin — also warfen wir Münzen, Wappen oder Zahl, und der Obere Mississippi gewann. Wir verpackten die Diamanten und schrieben unsere Namen drauf und gaben sie ins Schließfach des Hotels. Dann sagten wir, man darf das Päckchen keinem von uns zurückgeben, wenn die anderen beiden nicht dabei sind. Und dann gingen wir in die Stadt, jeder für sich allein — ich glaube, jeder hatte dasselbe vor. Ich bin mir nicht ganz sicher, aber ich glaube schon."

„Und was hattet ihr vor? " fragte Tom.

„Na ja — jeder wollte die Juwelen allein."

„Was? Jeder wollte die andern berauben, obwohl ihr das Ding zusammen gedreht habt? "

„Sicher."

Das fand Tom widerlich, und er sagte, das sei das Dreckigste und Gemeinste, was er je gehört hat. Aber Jake meinte, das sei nun mal so in seinem Beruf; jeder müßte selber sehen, wo er bleibt, sonst kümmert sich niemand darum.

Dann sagte er: „Wißt ihr, die Sache war die: Zwei Diamanten kann man nicht in drei Teile hacken. Wären es drei gewesen — aber lassen wir das, es waren eben nicht drei. Also, ich trieb mich in den dunklen Gassen rum und überlegte hin und her. Ich sagte mir, ich reiße mir die Diamanten so bald wie möglich unter den Nagel, und ich leg mir eine Verkleidung zu und entwische den Burschen; und wenn ich dann weg wäre, sollten sie mich erst mal finden. Also besorgte ich mir

den falschen Bart und die Sonnenbrille und die alten
Klamotten und steckte sie in die Reisetasche. Auf dem
Rückweg kam ich an so einem Laden vorbei, in dem
sie alles mögliche Zeug verkaufen, und durchs Schau-
fenster sah ich einen meiner Kumpel — es war Bud
Dixon. Ich sagte mir, da hast du aber Schwein gehabt,
und jetzt wollen wir mal sehen, was er kauft. So
versteckte ich mich und beobachtete ihn. Und was,
glaubt ihr, hat er gekauft? "

„Einen falschen Bart? " fragte ich.

„Nein."

„Eine Sonnenbrille? "

„Nein."

„Jetzt halt mal die Klappe, Huck Finn!" rief Tom
dazwischen. „Du hältst Jake nur auf. Also, was hat er
gekauft, Jake? "

„Ihr würdet nie im Leben draufkommen. Er kaufte
einen Schraubenzieher — nur einen kleinen, ganz gewöhnlichen Schraubenzieher."

„Also so was? Und was wollte er damit? "

„Das hab ich mich auch gefragt. Ich war ziemlich
verdattert; ich dachte, was will er bloß mit dem Ding?
Also, als er rauskam, bog ich kurz um die Ecke, und
dann ging ich ihm nach. Wir kamen zu einem Trödler-
laden, und dort kaufte er ein rotes Flanellhemd und
ein paar lumpige Sachen — genau die, die er jetzt an-
hat, wie du's beschrieben hast. Dann lief ich zur Werft
runter und versteckte mein Zeug auf dem Schiff, mit
dem wir den Fluß rauffahren wollten; und dann ging
ich nochmal in die Stadt, und wieder hatte ich
Schwein. Ich sah nämlich meinen anderen Kumpel,
wie er sich auch mit altem Zeug eindeckte. Jetzt

wußte ich, wo ich dran war; und später holten wir die Diamanten und gingen an Bord.

Aber jetzt waren wir in der Klemme, weil wir nicht ins Bett konnten — wir mußten wachbleiben und uns gegenseitig beobachten! Das war übel, und es nahm uns alle ganz schön mit — wißt ihr, vor ein paar Wochen hatten wir einen Riesenkrach gehabt, und wir waren auch keine richtigen Freunde, nur Geschäftsfreunde. Und es war sowieso blöd, daß wir zu dritt waren und nur zwei Diamanten hatten. Also, erst kam das Abendessen, und dann gingen wir an Deck und rauchten und redeten irgendwelches Zeug, fast bis Mitternacht. Dann gingen wir in meine Kabine und sperrten die Tür zu und machten unser Päckchen auf — die Diamanten waren noch da. Wir legten sie auf die untere Koje, damit jeder sie sehen konnte; und da hockten wir nun herum und starrten drauf, stundenlang und heftig, die Augen fielen uns fast zu. Endlich kippte Bud Dixons Kinn auf die Brust, und er döste ein. Sobald er regelmäßig schnarchte und wir dachten, der wacht nicht so bald auf, sah Hal Clayton erst mich an, dann die Juwelen und dann die Tür, und ich begriff. Ich griff nach dem Päckchen, und dann standen wir ganz leise auf und warteten — aber Bud rührte sich nicht. Ich drehte den Schlüssel um — ganz langsam, ganz sachte — und dann den Türknauf, und wir schlichen auf Zehenspitzen hinaus und machten vorsichtig die Tür zu.

Nichts bewegte sich, nur der Dampfer schaukelte gleichmäßig über die Wellen. Wir redeten kein Wort — wir huschten schnell aufs Sturmdeck und noch weiter, ganz nach hinten, und dort hockten wir uns auf den

Boden. Wir wußten beide, was das bedeutete, ohne irgendwas zu sagen. Bud würde aufwachen und die Diamanten vermissen, und dann würde er sofort hinter uns herjagen — er fürchtet sich vor nichts und niemand, so ein Kerl ist das. Also, er würde kommen, und dann — dann würden wir ihn über Bord werfen — oder selbst dabei draufgehen. Wie ich dran dachte, lief es mir eiskalt den Buckel runter; ich bin nicht so tapfer, wie manche glauben. Aber ich ließ mir natürlich nichts anmerken — ich wußte schon, warum. Irgendwie hoffte ich, der Dampfer würde anlegen und wir könnten abhauen — einen solchen Bammel hatte ich vor Bud Dixon; aber die Chance war gering.

Da hockten wir also und hockten und hockten — der Bursche kam nicht. Die Zeit verging, und er kam immer noch nicht. Als es dämmerte, hatte ich die Schnauze voll. Ich begann leise vor mich hinzufluchen. ‚Verdammt noch mal!' sagte ich endlich. ‚Wenn das nicht verdächtig ist! Was sagst du dazu? Ist da nicht etwas faul? ' — ‚Und ob!' flüsterte Hal zurück. ‚Wenn er uns nur nicht übers Ohr gehauen hat! Mach das Päckchen auf!' Ich riß die Hülle ab, und — ach, du großer Schreck! — es waren zwei Stück Würfelzucker drin! Jetzt wußten wir, warum Bud ganz friedlich pennen konnte — verdammt schlau hatte er das angestellt! Sicher hatte er das Päckchen schon vorher gemacht, und dann vertauschte er es direkt vor unserer Nase.

Wir waren ziemlich belämmert, das könnt ihr euch denken. Aber wir mußten jetzt scharf überlegen, und das taten wir auch. Wir wollten das Päckchen wieder zumachen, genau wie es war; dann würden wir uns ganz leise zurückschleichen und es an seinen alten Platz legen. Wir wollten überhaupt so tun, als wären wir ihm nicht auf die Schliche gekommen und als wüßten wir nicht, daß er sich heimlich ins Fäustchen lachte. Dann würden wir ihm nicht von der Seite weichen, und in der ersten Nacht an Land wollten wir mit ihm saufen gehen; wenn er dann besoffen war, konnten wir ihn nach den Diamanten durchsuchen — und ihn konnten wir auch gleich erledigen, sonst würde er uns nachjagen und uns den Schädel einschlagen. Also, sehr viel hielt ich von dem Plan nicht. Ich wußte, daß wir ihn besoffen machen konnten — dafür war er immer zu haben —, aber was hatten wir davon, wenn wir die Diamanten nicht fanden? Wir konnten ihn ein ganzes Jahr durchsuchen, und nie —

Da jagte mir plötzlich eine Idee durchs Hirn, und ich dachte, mich trifft der Schlag — und auf einmal hüpfte mein Herz vor Freude! Wißt ihr, ich hatte meine Stiefel ausgezogen, weil mir die Füße weh taten, und als ich einen in den Händen hatte, sah ich kurz auf den Absatz — da stockte mir der Atem. Erinnert ihr euch noch an den komischen Schraubenzieher? "

„Und ob!" sagte Tom.

„Also, als ich den Absatz sah, schoß mir plötzlich der Gedanke durch den Kopf. Ich wußte jetzt, wo die Diamanten waren! Seht euch mal den Absatz an: Hier unten ist ein kleines Stahlplättchen, und das ist mit Schräubchen festgemacht. Und der Kerl hatte am ganzen Leib keine Schraube an sich, nur an den Stiefelabsätzen. Wenn er also einen Schraubenzieher brauchte, dann wußte ich jetzt, warum."

„Junge, Junge, ist das ein Ding, Huck!"

„Also, ich zog meine Stiefel wieder an, und wir schlichen in unsere Kabine runter und legten das Päckchen mit dem Zucker auf die Koje. Dann hockten wir uns wieder leise hin, und eine Weile saßen wir wie die Deppen da und hörten zu, wie Bud Dixon seelenruhig schnarchte. Hal Clayton döste bald ein, aber ich nicht — noch nie in meinem Leben war ich so hellwach. Ich schielte unter meiner Hutkrempe vor und suchte den Boden nach einem Lederstückchen ab. Ich suchte und suchte, und ich dachte schon, ich hätte falsch geraten, aber endlich fand ich es. Es lag drüben an der Wand, und auf dem Teppich sah man es kaum; es war ein kleiner runder Stöpsel, vielleicht so dick wie dein kleiner Finger. Ich sagte mir, wo der herkommt, liegt jetzt ein Diamant. Und bald fand ich noch einen Lederstöpsel. Denkt euch, wie schlau und kaltblütig dieser Kerl war! Er stellte uns eine Falle, und wir Hornochsen tappten hinein. Als wir weg waren, konnte er in aller Ruhe die Plättchen von seinen Absätzen schrauben, die Stöpsel rausnehmen und die Diamanten reinstecken, und dann machte er die Plättchen wieder fest. Er dachte, wir klauen das falsche Päckchen und warten oben die ganze Nacht, und — bei Gott! — genau das taten wir. Ich glaub, das war schon unheimlich schlau!"

„Da kannst du Gift drauf nehmen!" sagte Tom voller Bewunderung.

4

Jake erzählte weiter:

„Also, wir spielten uns den ganzen Tag Theater vor und taten so, als würden wir einander beobachten — das war nicht einfach, kann ich euch sagen. Als es dunkel wurde, legte das Schiff in einer dieser kleinen Städte in Missouri an. Wir gingen an Land und nahmen uns ein Zimmer in einer Kneipe, mit einem Doppelbett und einem Liegesofa. Dann aßen wir was und stiegen zu unserer Bude hoch. Wir tappten hintereinander durch den dunklen Gang, voran der Wirt mit einer Talgkerze, und ich hinterdrein; da schob ich meine Reisetasche schnell unter einen großen Tisch. Wir hatten eine Menge Whisky auf der Bude, und wir spielten Poker und soffen dazu; aber sobald der Whisky bei Bud zu wirken begann, hörten wir zu trinken auf, und er soff alleine weiter. Zum Schluß war er so voll, daß er vom Stuhl kippte und auf dem Boden zu schnarchen begann.

Jetzt konnte die Suche losgehen. Ich sagte, wir ziehen besser unsere Stiefel aus und Buds Stiefel auch; dann machen wir keinen Krach und können ihn herumwälzen, wie wir wollen, und ihn von Kopf bis Fuß filzen. Und so machten wir's. Ich stellte meine Stiefel direkt neben die von Bud, damit sie später leicht greifbar waren. Jetzt machten wir uns an die Arbeit. Wir durchsuchten ihn von oben bis unten, bis

zu den Nähten seiner Taschen und Strümpfe und der
Innenseite seiner Stiefel, und wir durchwühlten alles,
was ihm gehörte – die Diamanten fanden wir natürlich
nicht. Wir fanden den Schraubenzieher, und Hal sagte:
‚Was will er denn mit dem Ding?‘, und ich sagte:
‚Weiß ich doch nicht!‘; aber als Hal nicht hersah, ließ
ich ihn in meiner Hosentasche verschwinden. Zuletzt
machte Hal ein langes Gesicht und war mächtig enttäuscht; und dann meinte er, es hat keinen Zweck, wir
müssen aufgeben. Darauf hatte ich nur gewartet. Ich
sagte: ‚An einer Stelle haben wir noch nicht gesucht.‘ – ‚Und wo soll das sein?‘ – ‚In seinem
Magen.‘ – ‚Meine Fresse, darauf wäre ich nie gekommen. Aber jetzt sind wir auf der richtigen Spur, todsicher. Nur – wie kommen wir da rein? Sollen wir
vielleicht – ‘ – ‚Du bleibst hier bei ihm‘, sagte ich, ‚und

ich renne in die nächste Apotheke. Da werd ich schon ein Mittel finden, daß den Diamanten die Lust vergeht, an ihrem Plätzchen zu bleiben.'

Er sagte, das wär's, und vor seinen Augen zog ich Buds Stiefel statt meiner eigenen an, und er merkte es nicht. Sie waren eine Spur zu groß, aber das war immer noch besser, als wenn sie zu klein gewesen wären. Im Gang schnappte ich noch schnell meine Reisetasche, und dann war ich schon zur Hintertür draußen und lief zur Uferstraße.

Ich fühlte mich nicht schlecht — man geht ganz gut auf Diamanten. Nach einer Viertelstunde sagte ich mir, jetzt hast du über eine Meile geschafft, und niemand denkt sich was. Fünf Minuten später dachte ich, jetzt ist der Abstand größer, und in einer Bude sitzt ein Kerl, der gerne wissen will, was mit mir los ist. Wieder marschierte ich fünf Minuten, und ich dachte, jetzt wird er unruhig — er geht aufgeregt im Zimmer auf und ab. Und nochmals fünf Minuten später sagte ich mir, jetzt hast du zweieinhalb Meilen Vorsprung, und er ist völlig aus dem Häuschen — wahrscheinlich beginnt er zu fluchen. Dann dachte ich, jetzt sind's vierzig Minuten — er weiß, daß etwas faul ist! Fünfzig Minuten — es dämmert ihm was! Er glaubt, ich hätte die Diamanten gefunden und sie in meiner Tasche verschwinden lassen — ja, und jetzt will er mich suchen. Er wird in der Dämmerung nach frischen Spuren suchen — vielleicht flußaufwärts, vielleicht flußabwärts.

In dem Augenblick ritt ein Mann auf einem Maulesel daher, und ich sprang ganz unwillkürlich hinter eine Hecke. Das war natürlich dumm von mir. Der

Mann wunderte sich, kam noch etwas näher und blieb stehen; und weil ich mich nicht rührte, ritt er weiter. Aber ich war nicht mehr so froh; ich mußte mir sagen, daß ich einen Blödsinn gemacht hatte, und wenn er Hal Clayton traf, konnte es noch dumm für mich ausgehen.

So gegen drei Uhr morgens kam ich nach Elexandria und sah diesen Dampfer hier. Das freute mich mächtig, und ich fühlte mich jetzt völlig sicher. Ich ging an Bord und nahm diese Kabine und zog diese Klamotten an — und dann ging ich hinauf, um Ausschau zu halten, obwohl ich dachte, das ist nicht mehr nötig. So saß ich also da und dachte an meine Diamanten und wartete, daß der Dampfer abfuhr. Ich wartete und wartete und wartete — der verdammte Kahn rührte sich nicht von der Stelle! Wißt ihr, sie reparierten was im Maschinenraum, aber ich hatte keine Ahnung davon, weil ich mich mit Schiffen nicht besonders auskenne.

Also, um die Sache kurz zu machen — wir fuhren erst gegen Mittag ab. Ich hatte mich längst in meiner Kabine eingeschlossen und bibberte vor Angst — denn vor dem Frühstück hatte ich einen Kerl daherkommen sehen, der Hal Clayton verdammt ähnlich sah. Mir war ganz übel. Ich sagte mir, wenn er herausfindet, daß ich an Bord bin, sitze ich wie eine Ratte in der Falle. Er braucht mich nur beschatten zu lassen, und dann kann er in aller Ruhe abwarten — abwarten, bis ich mich an Land verdrücke; und dabei soll ich denken, er ist tausend Meilen fort. Dann verfolgt er mich, und an einer einsamen Stelle packt er mich am Kragen. Er nimmt mir die Juwelen ab, und dann — ja, dann! Ist das nicht furchtbar? Und jetzt ist der andere auch noch an Bord — so ein verflixter Mist! Aber ihr helft mir, nicht wahr, ihr helft mir, daß ich nicht vor die Hunde gehe! Bitte, bitte, helft einem armen Teufel, der zu Tode gehetzt wird — ich werd euch ewig dankbar sein!"

Wir beruhigten ihn, so gut wir konnten. Tom sagte, wir würden einen Plan ausknobeln und ihm helfen, und er braucht keine Angst zu haben; und allmählich fühlte er sich wieder besser.

Dann schraubte er die Plättchen von seinen Absätzen, holte die Diamanten heraus und hielt sie ganz andächtig ans Licht. War das vielleicht ein Anblick! Es sah aus, als würden sie gleich in tausend Stücke zerspringen, so funkelten und glitzerten sie. Aber ich dachte trotzdem, er ist blöd. Wäre ich an seiner Stelle gewesen, dann hätte ich den Burschen die Diamanten gegeben; dann wären sie sicher abgehauen und hätten ihn in Ruhe gelassen. Aber daran dachte er nicht im Traum. Er sagte, es sei ein Vermögen, und er kann sich einfach nicht davon trennen.

Wir hatten zweimal Aufenthalt, weil sie im Maschinenraum was nachsehen mußten, und wir lagen ziemlich lange fest. Einmal war's in der Nacht, aber es war nicht dunkel genug, und er hatte Angst zu fliehen. Als wir das dritte Mal festmachten, waren die Chancen besser: Es war etwa ein Uhr nachts, noch etwa vierzig Meilen waren es bis zur Farm von Onkel Silas, die Luft war schwer, und ein Sturm kam auf. Jake war ganz zappelig. Der Dampfer begann Holz zu laden, und bald prasselte der Regen herunter, und der Sturm brach los. Die Burschen, die das Holz luden, schnappten sich alle einen Jutesack und setzten ihn wie eine Kapuze auf. Wir

fanden einen für Jake, und er setzte ihn sich auf; dann
nahm er seine Reisetasche und ging mit den anderen
Burschen an Land und verschwand in der Dunkelheit.
Waren wir vielleicht erleichtert! Wir atmeten richtig
auf und wurden ganz lustig – aber nicht für lange.
Jemand mußte ihn verpfiffen haben – denn acht oder
zehn Minuten später schossen die beiden Verbrecher
wie der Teufel an uns vorbei, und ehe wir uns von dem
Schreck erholt hatten, waren sie schon am Ufer ver-

schwunden. Wir warteten verzweifelt, daß sie zurück-
kommen würden – aber sie kamen nicht. Am Mittag
waren sie immer noch nicht da. Wir waren schrecklich
niedergeschlagen. Wir konnten jetzt nur noch hoffen,
daß Jake einen guten Start gehabt hatte und daß er
sich zu seinem Bruder retten konnte.

Er hatte gesagt, er wolle die Uferstraße nehmen,
und wir sollten nachsehen, ob Brace und Jubiter zu
Hause seien und sich keine Fremden in der Gegend

herumdrückten. Wir hatten ausgemacht, daß wir in der Dämmerung zu ihm hinunterkommen und ihm Bescheid sagen würden. Er wollte an dem Gebüsch neben der Uferstraße warten, direkt hinter dem Tabakfeld von Onkel Silas; dort war es ziemlich einsam.

Wir redeten die ganze Zeit über ihn und ob er es schaffen würde. Tom sagte, er hofft nur, daß die Burschen in der falschen Richtung suchen; aber das war ziemlich unwahrscheinlich. Wahrscheinlich wußten sie, wohin er geflohen war, und dann würden sie ihn den ganzen Tag heimlich verfolgen, und in der Nacht würden sie ihn kaltmachen. Es war zum Heulen.

5

Erst spät am Nachmittag waren sie im Maschinenraum fertig, und als wir am Ziel waren, ging die Sonne schon unter. So besannen wir uns nicht lange, sondern machten, daß wir zu dem Gebüsch kamen. Wenn wir Jake trafen, wollten wir ihm sagen, daß er hier warten solle, und dann wollten wir zu Brace laufen und sehen, ob die Luft rein war. Als wir den Wald erreichten, war es schon ziemlich düster; wir schwitzten und keuchten, so hatten wir uns beeilt. Dreißig Meter vor uns lag das Gebüsch.

Da sahen wir plötzlich zwei Gestalten zu dem Gebüsch rennen, und eine Sekunde später hörten wir einen fürchterlichen Schrei – und dann noch einen. Der Schreck fuhr uns in alle Glieder.

„Der arme Jake!" keuchte ich. „Jetzt haben sie ihn erwischt."

Wir rannten zum Tabakfeld und versteckten uns. Unsere Kleider schlotterten nur so an uns herum, so zitterten wir. Und als wir gerade in Deckung gingen, rannten zwei andere Gestalten heraus und jagten wie die Teufel die Straße hinunter — zwei voraus und zwei hinterdrein.

Ich starb vor Angst, als ich das sah. Wir warfen uns flach auf den Boden und fühlten uns ganz elend. Dann lauschten wir angestrengt, ob sich noch etwas rührte — aber es rührte sich nichts, und eine Weile hörten wir nur unser Herz klopfen.

Ich dachte an die Gestalten und die gräßlichen Schreie — und an die Leiche in dem Gebüsch. Man konnte meinen, ein Geist sei in der Nähe, und es lief mir eiskalt den Buckel herunter. Langsam kroch der Mond hinter den Bäumen hervor, riesengroß und rund und fahl, wie ein Gesicht, das durch Gitterstäbe glotzt, und schwarze Schatten begannen über den Boden zu kriechen, und es war totenstill — nur ein leiser Nachtwind wehte. Es kam mir vor wie auf dem Friedhof, und es gruselte mir schrecklich.

Da stieß mich etwas in die Seite. Ich fuhr zusammen, aber es war Tom. Er war ganz bleich und flüsterte: „Da — dort hinten — was ist das?"

„Erschreck mich nicht so!" wisperte ich zurück. „Ich bin sowieso schon halb tot vor Angst."

„Aber sieh doch, sieh doch hin! Da kriecht was aus dem Gebüsch!"

„Sei still, Tom!"

„Es ist schrecklich groß!"

176

„Nein, nein! Du — "

„Still — es kommt auf uns zu!"

Er war so aufgeregt, daß es ihm fast den Atem verschlug.

Ich mußte einfach hinsehen. Ich hob den Kopf und starrte — und keuchte, und Tom keuchte auch. Es kam die Straße herunter — im Schatten der Bäume, man sah es kaum. Aber es kam näher, immer näher — und dann trat es ins Mondlicht. Wir waren wie vom Blitz erschlagen. Es war — ein Geist! Der Geist von Jake Dunlap!

Wir konnten uns nicht mehr rühren — und dann war er plötzlich verschwunden. Wieder war es totenstill. Dann flüsterte Tom: „Meistens sind sie ganz verschwommen, wie Schatten — aber dieser Geist war nicht so."

„Nein", keuchte ich, und ich wunderte mich, daß ich überhaupt noch etwas herausbrachte. „Die Sonnenbrille, der Bart — ich hab sie ganz deutlich gesehen."

„Ja, und seine komischen Klamotten — die Kniehosen, grün und schwarz — "

„Und die Weste aus Baumwolle — feuerrot — gelbe Karos — "

„Die Strumpfhalter — und einer davon hing lose herab — "

„Ja, und der Hut — "

„Ein komischer Hut für einen Geist!"

Wißt ihr, diese Hüte waren gerade Mode — ein Ofenrohr mit einer steifen Krempe, wie eine Zuckerstange, nur schwarz.

„Hast du sein Haar gesehen? Hast du gesehen, ob es noch wie früher aussah? "

„Nein – oder ... Ich glaube schon, aber eigentlich doch nicht – "

„Ich weiß auch nicht. Aber seine Reisetasche hatte er dabei, das hab ich gesehen."

„Ja, ich auch. Hat ein Geist eine Geistertasche, Tom? "

„Aber sicher! Frag doch nicht so dumm – alles, was ein Geist im Leben gehabt hat, nimmt er ins Geisterreich mit. Er hat doch auch noch seine Kleider. Wieso sollte er dann keine Tasche mehr haben? "

Das leuchtete mir ein, und ich wollte das gerade sagen, als wieder zwei Gestalten auftauchten. Es waren zwei Männer aus dem Dorf, Bill Withers und sein Bruder Jack. Sie redeten miteinander, und wir hörten Jack sagen: „Weißt du, was er da geschleppt hat? "

„Keine Ahnung", sagte sein Bruder. „Na, jedenfalls war's ziemlich schwer."

„Ja, er schleppte sich fast zu Tode. Ich glaube, es war ein Nigger, der dem alten Silas Salat klaute."

„Glaub ich auch. Und da drückt man eben beide Augen zu."

„Ich seh so was auch nie genau."

Da lachten sie beide, und dann konnten wir sie nicht mehr hören. Wir wußten jetzt, wie unbeliebt Onkel Silas schon war. Wenn ein Nigger jemand anders Salat geklaut hätte, wären sie bestimmt nicht so vorbeigegangen. Dann hörten wir wieder ein Murmeln, das näher kam und immer deutlicher wurde, und manchmal wieherte jemand vor Lachen. Es waren Lem Beebe und Jim Lane, auch zwei Männer vom Dorf. Jim Lane sagte gerade: „Wer? Jubiter Dunlap?"

„Ja."

„Also, ich weiß nicht – aber ich glaube schon. Ich sah ihn vielleicht vor einer Stunde, kurz vor Sonnenuntergang, draußen auf dem Acker – ihn und den alten Silas. Er sagte, er geht heut abend nicht, aber wir können seinen Hund haben, wenn wir wollen."

„Er war zu müde, glaube ich."

„Ja – bei der Arbeit!"

„Kann man wohl behaupten."

Sie grinsten und gingen vorbei. Tom sagte, wir gehen ihnen besser nach, weil sie die gleiche Richtung haben – er wäre nicht scharf drauf, dem Geist ganz allein über den Weg zu laufen.

Es war die Nacht vom Samstag, dem siebzehnten April – ich werde sie nie vergessen. Und das nicht nur wegen den Männern und dem Geist, sondern – aber das werdet ihr schon noch erfahren.

6

Wir folgten also Jim und Lem — natürlich ohne daß sie es merkten. Endlich kamen wir zu dem Zaun, wo die Hütte stand, in die man Jim damals eingesperrt hatte — ihr kennt ja die Geschichte, wenn ihr mein Buch gelesen habt. Da schossen auch schon die Hunde auf uns zu und kläfften fröhlich zur Begrüßung. Im Haus brannte Licht, und da hatten wir keine Angst mehr und wollten schon über den Zaun klettern; aber Tom sagte plötzlich: „Halt! Warten wir erst eine Minute!"

„Was ist los? " fragte ich.

„Was los ist? Allerhand ist los! Hast du nicht daran gedacht, daß wir die ersten sind, die drinnen erzählen, wen sie im Gebüsch umgebracht haben und überhaupt alles über diese Schurken und die Diamanten und die ganze Geschichte? Wir würden doch ziemlich dick auftragen, und alle müßten denken, wir sind doch Teufelskerle, weil wir eine ganze Menge mehr darüber wissen als irgendwer sonst — oder nicht? "

„Ja, natürlich! Wie ich dich kenne, läßt du dir diese Chance nicht entgehen! Ich denke, die Geschichte wird ganz schön spannend, wenn du richtig loslegst."

„Also", sagte er seelenruhig, „und wenn ich jetzt sage, daß ich schweige wie ein Grab? "

Da blieb mir doch die Spucke weg! Ich antwortete: „Dann sage ich, das ist gelogen. Das ist doch nicht dein Ernst, Tom Sawyer? "

„Das wirst du bald merken. War der Geist barfuß?"

„Was soll denn der Quatsch?"

„Wart's ab — das erfährst du schon noch. Also, war er barfuß?"

„Nein, natürlich nicht! Aber —"

„Kannst du das schwören?"

„Ja, ich schwör's!"

„Und ich auch. Weißt du, was das bedeutet?"

„Keine Ahnung."

„Das bedeutet, daß die Diebe die Diamanten nicht erwischt haben!"

„Nein! Warum glaubst du das?"

„Ich glaube es nicht, ich weiß es. Sieh mal, der Geist hatte doch noch alle seine Sachen — die Sonnenbrille und den Bart und alles. Er nahm den ganzen Krempel mit ins Geisterreich. Er war nicht barfuß — also hatte er noch seine Stiefel an. Er hatte noch seine Stiefel an, als er herumzuspuken begann! Wenn die Schurken die Diamanten wollten, mußten sie ihm die Stiefel ausziehen — und das taten sie nicht. Also, wenn das kein Beweis ist, daß sie die Diamanten nicht erwischt haben!"

Jetzt denkt euch nur, was dieser Tom Sawyer für ein schlaues Köpfchen hatte! Ich hatte doch auch Augen im Kopf, aber für mich bedeutete das gar nichts. Wenn Tom Sawyer etwas sah, stellte er sich sofort auf die Hinterbeine und begann zu reden, und schon wußte er Bescheid.

„Ja, jetzt kapiere ich", sagte ich. „Sie haben also die Diamanten nicht gekriegt, weil die beiden anderen Männer sie verjagt haben. Aber ich kapiere immer noch nicht, warum wir nichts davon erzählen sollen!"

„Aber denk doch mal nach! Was wird passieren? Es gibt eine Untersuchung, und die beiden Männer erzählen, daß sie die Schreie hörten und die Burschen verjagten, aber der Fremde war schon tot. Und dann weiß niemand genau, was los ist, und zum Schluß heißt es, er wurde erschossen oder bekam eins auf die Rübe, und den Mörder wissen sie nicht. Und dann vergraben sie die Leiche und versteigern ihre Sachen, um die Kosten wieder reinzubringen — und das ist unsere Chance."

„Wieso?"

„Ganz einfach: Wir steigern mit!"

„Aber Tom! Was willst du denn mit den alten Klamotten?"

„Aber doch nicht die Klamotten — die Stiefel! Wir kriegen sie für zwei Dollar!"

Da zündete es endlich bei mir. „Donnerwetter! Wir bekommen die Diamanten!"

„Und ob! Und eines Tages wird man eine Belohnung dafür aussetzen — mindestens tausend Dollar. Das ist unser Geld! Aber nur, wenn wir jetzt dichthalten. Komm, wir gehen rein. Und vergiß bloß nicht: Wir haben keine Ahnung von einem Mord und Dieben und Diamanten."

So hatte er sich das also gedacht. Man hätte die Diamanten auch verkaufen können — für zwölftausend Dollar —, aber ich sagte besser nichts davon.

Dafür fragte ich ihn: „Und was sagen wir deiner Tante Sally? Sicher will sie wissen, warum wir so spät kommen."

„Ach, das überlasse ich dir. Es wird dir schon was einfallen."

182

So war Tom eben. Er hatte es mit der Wahrheit —
lügen konnte ja ich.

Wir gingen über den Hof und stellten erfreut fest,
daß dort alles noch wie früher war. In dem Gang
zwischen dem Holzschuppen und der Küche hingen
eine Menge Sachen, die wir schon kannten; sogar der
alte grüne Arbeitskittel von Onkel Silas war noch da
und sein Schlapphut, und zwischen den Schultern des
Kittels war immer noch derselbe ausgefranste weiße
Flicken — wenn Onkel Silas ihn anhatte, sah es aus, als
hätte ihm jemand einen Schneeball auf den Buckel
geworfen. Dann gingen wir hinein.

Zuerst sahen wir Tante Sally. Sie lief aufgeregt hin
und her und heulte, und die Kinder hockten alle in
einer Ecke, und in der andern Ecke hockte Onkel Silas
und betete leise. Dann sah sie zu uns her und ließ
einen Freudenschrei los, und dann umarmte sie uns
und heulte noch lauter und drückte uns, daß es weh
tat. Sie schien gar nicht genug davon zu kriegen, und
die Tränen kullerten ihr nur so über die Backen herunter, so freute sie sich.

Endlich sagte sie: „Wo habt ihr euch so lange rumgetrieben, ihr Schlingel? Ich hab mir solche Sorgen
um euch gemacht, ich bin schon ganz durcheinander.
Ich wußte ja, daß ihr kommt — viermal hab ich das
Essen aufgewärmt, aber dann hab ich doch die Geduld
verloren. Prügel sollte man euch geben, ihr — aber setzt
euch doch. Ihr müßt ja halb verhungert sein, ihr
Armen! Laßt's euch nur schmecken!"

Ach, ist das toll, wenn man sich so zum Essen
setzen kann! Es dauerte eine Ewigkeit, bis Onkel Silas
seinen Segen gemurmelt hatte, aber dann stand schon

ein dampfender Teller vor mir. Wir hatten mächtig Hunger und spachtelten, was das Zeug hielt. Aber als wir fertig waren, fragte Tante Sally noch einmal, wo wir denn gesteckt hätten, und da mußte ich erst mal schlucken.

„Also, wissen Sie — Frau — äh — ", stotterte ich.

„Du kannst ruhig Tante Sally zu mir sagen! Und jetzt raus mit der Sprache!"

„Ja, also, Tante Sally — das war so: Ich — Tom und ich sagten uns, wir laufen durch den Wald, weil die Luft dort so gut ist, und — wir trafen Lem Beebe und Jim Lane, und sie sagten, wir sollen heut abend mit ihnen Brombeeren sammeln gehen. Und von Jubiter Dunlap kriegten sie den Hund, weil er gerade zu ihnen gesagt hatte — "

„Wo habt ihr sie getroffen?" fragte Onkel Silas plötzlich. Ich sah überrascht auf, weil ich nicht dachte, daß ihn so was Nebensächliches interessierte — aber er zitterte ganz aufgeregt, und seine Augen glänzten. Da kam ich ein bißchen aus dem Konzept, doch ich riß mich wieder zusammen und sagte: „Es war, als er mit dir auf dem Acker war, weißt du — "

Er brummte etwas und kam mir irgendwie enttäuscht vor, und dann interessierte ihn die Sache nicht mehr. Aber Tante Sally interessierte sie ungeheuer, und sie sah mich ganz scharf an.

„Also, wie ich schon sagte — ", fing ich wieder an.

„Jetzt reicht mir's aber!" unterbrach sie mich, und mir wurde ziemlich ungemütlich. „Du brauchst gar nicht weiterzureden. So ein Unsinn — Brombeeren sammeln! Und das im April!"

Ich merkte, daß ich mich verheddert hatte, und ich brachte kein Wort mehr heraus. Sie wartete eine Weile, und dabei sah sie mich noch immer so komisch an.

Dann sagte sie: „Und überhaupt — wieso mitten in der Nacht? "

„Also, äh — sie sagten, sie nehmen eine Laterne, und — "

„Ach, hör auf! Und den Hund brauchten sie auch, was? Sie wollten wohl Brombeeren jagen? "

Ich hielt jetzt am besten den Mund, weil doch nur Blödsinn herauskam. Sie hatte auch genug von mir und fiel nun über Tom her.

„Tom Sawyer, was meinst du zu der Geschichte? Sprich dich ruhig aus! Aber ich warne dich — ich sag dir jetzt schon, daß ich dir kein Wort glaube. Ich kenne euch, alle beide. Also, wie war das mit den Brombeeren? Und die Sache mit dem Hund und der Laterne? "

Tom machte ein ganz beleidigtes Gesicht und sagte: „Wie kannst du nur den armen Huck so anfahren? Wo er sich doch nur versprochen hat!"

„So — versprochen!"

„Ja, er sagte Brombeeren, aber er meinte natürlich Erdbeeren. Und überall auf der Welt sucht man Erdbeeren mit einem Hund und einer Laterne — nur nicht in Arkansas."

Da brach vielleicht ein Donnerwetter los! Die Worte sprudelten nur so aus ihr heraus, wie ein Wasserfall — so wütend war sie.

Aber darauf hatte Tom nur gewartet. Er wollte sie richtig in Wut bringen, und dann konnte sie sich in Ruhe austoben. Wenn sie damit fertig war, würde sie die ganze Geschichte so satt haben, daß sie kein Wort mehr davon hören wollte.

Und genau so kam es. Als sie schon ganz heiser war, sagte Tom seelenruhig: „Und trotzdem, Tante Sally, ich — "

„Sei bloß still!" rief sie dazwischen. „Ich will jetzt kein Wort mehr hören!"

Und damit war die ganze Sache erledigt. Ja, das hatte Tom schon sauber hingekriegt!

7

Benny saß ganz traurig da und sagte die ganze Zeit kein Wort; nur manchmal seufzte sie ein bißchen. Aber dann begann sie Tom auszufragen, was bei uns los sei und wie es seiner Tante Polly gehe; und da wurde auch Tante Sally ein bißchen lustiger, und es wurde noch ein gemütlicher Abend. Nur Onkel Silas machte kaum den Mund auf, und er schien an ganz andere Sachen zu denken. Er seufzte oft und war so traurig und voller Sorgen — es war ein Jammer.

Plötzlich klopfte es an die Tür, und ein Nigger streckte den Kopf herein. Er nahm seinen alten Strohhut ab und sagte, sein Herr, Brace Dunlap, stehe draußen am Zaun und lasse fragen, ob ihm Herr Silas sagen könne, wo sein Bruder sei; er warte schon lange mit dem Abendessen.

Da sprang Onkel Silas auf und rief heftig: „Soll ich seines Bruders Hüter sein?"

Aber es tat ihm gleich leid, und er sagte leise: „Aber das brauchst du ihm nicht zu sagen, Billy. Ich bin in letzter Zeit ein bißchen reizbar, weil es mir nicht sehr gut geht. Sag ihm, Jubiter ist nicht da."

Als der Nigger draußen war, stand Onkel Silas auf und ging ganz aufgeregt hin und her. Dabei murmelte er dauernd etwas in seinen Bart und fuhr sich mit der Hand durch die Haare. Wir konnten es kaum mitansehen. Aber Tante Sally flüsterte, wir sollten uns gar nicht drum kümmern, das würde ihn nur noch mehr aufregen. Sie sagte, das sei jetzt bei ihm oft so; dauernd würde er hin und her grübeln, und man könnte meinen, er sei nicht mehr ganz bei Verstand. Er würde auch viel öfter schlafwandeln als früher, und manchmal gehe er dabei durchs ganze Haus oder sogar ins Freie. Wenn wir ihn dabei ertappen sollten, müßten wir ihn ja in Ruhe lassen. Sie sagte, ihrer Meinung nach schade ihm das Schlafwandeln nichts, und vielleicht tue es ihm sogar gut. Und nur Benny wisse genau, wie man mit ihm umgehen müsse.

Onkel Silas schlurfte jetzt ganz müde durchs Zimmer. Da ging Benny zu ihm hin, nahm seinen Arm und kuschelte sich an ihn. Er lächelte ihr zu und drückte sie an sich; seine Stirnfalten wurden wieder glatt, und Benny konnte ihn aus dem Zimmer führen. Wir sahen genau, wie gern sie ihren Vater hatte und er sie.

Tante Sally hatte jetzt alle Hände voll damit zu tun, die Kinder ins Bett zu schaffen. Da wurde es Tom und mir langweilig, und wir flüchteten uns ins Freie und gingen ein bißchen im Mondschein spazieren. Tom sagte, er möchte wetten, daß Jubiter an der ganzen Streiterei schuld ist; und wenn das stimmte, wollte er Onkel Silas helfen, den blöden Kerl loszuwerden.

So redeten wir zwei Stunden lang, bis spät in die Nacht, und als wir heimkamen, war schon alles still, und es war dunkel.

Tom sah einfach alles, und jetzt sah er, daß der grüne Arbeitskittel von Onkel Silas verschwunden war. Das kam uns komisch vor, weil er vorhin noch an seinem Nagel gehangen hatte. Aber wir waren zu müde, um darüber nachzudenken, und so gingen wir ins Bett.

Wir waren schon ausgezogen, da hörten wir ein Geräusch im Nebenzimmer. Es war Bennys Zimmer, und wir dachten, sie macht sich solche Sorgen um ihren Vater und kann nicht schlafen. Aber auch wir konnten nicht schlafen. Da standen wir wieder auf und rauchten und flüsterten miteinander, und wir fühlten uns ziemlich elend. Immer wieder fing einer von uns von dem Mord und dem Geist an, und es gruselte uns so, daß wir erst recht nicht einschlafen konnten.

Ganz spät in der Nacht, als alles unheimlich still war, stieß mich Tom plötzlich in die Rippen. Ich fuhr zusammen, und Tom flüsterte, ich soll zum Fenster hinaussehen, da ist was. Ich schielte hinaus, und da sah ich eine dunkle Gestalt, die sich im Hof herumdrückte; doch es war so dunkel, daß wir sie nicht erkannten. Jetzt huschte sie zum Zaun, und als sie darüberkletterte, kam der Mond gerade hinter einer dunklen Wolke hervor. Es war ein Mann; er trug einen langen Spaten über der Schulter, und er hatte einen grünen Kittel an, und der Mond schien auf einen weißen Flicken zwischen seinen Schultern.

„Onkel Silas!" sagte Tom. „Er wandelt im Schlaf. Wenn wir nur wüßten, wo er hinwill! Da, jetzt geht er zum Tabakfeld — jetzt ist er verschwunden. Der Arme! Nicht mal bei Nacht hat er seine Ruhe!"

Wir warteten noch lange auf ihn, aber er kam nicht zurück. Endlich waren wir todmüde und schliefen ein, und ich träumte eine Menge schrecklich gruseliges Zeug. Schon in der Dämmerung wachten wir wieder auf, denn ein Sturm war heraufgezogen und rüttelte an den Läden. Dann zuckten Blitze, und der Donner rollte, und der Wind heulte, und der Regen prasselte vom Himmel.

Da sagte Tom plötzlich: „Also das ist komisch!"

„Was ist komisch?"

„Daß sie nichts von dem Mord wissen!"

„Aber — "

„Überleg doch mal! Die Männer, die die beiden Schurken verjagten, haben die Geschichte sicher gleich überall rumerzählt. Das passiert hier höchstens einmal in zehn Jahren! In einer Stunde müßte es das ganze

Dorf wissen — so was verbreitet sich wie ein Präriefeuer. Nein, ich versteh das nicht!"

Dann wurde er ganz zappelig und wollte auf die
Straße; aber es war ja noch früh, und der Sturm tobte
ganz schön. Doch endlich hörte er auf, und wir sausten
aus dem Haus. Tom sagte noch, wenn wir jemand
sehen, dürfen wir ja nicht selber von dem Mord anfangen, und wenn wir davon hören, müssen wir ganz
erschrocken tun.

Jetzt war schon heller Morgen, und wir schlenderten
die Straße entlang. Ab und zu trafen wir jemand und
tratschten ein bißchen mit ihm, aber keiner sagte eine
Silbe von dem Mord — das wunderte uns mächtig.
Nach einer Weile sagte Tom, er glaubt bald, wenn wir
zu dem Gebüsch gehen, finden wir die Leiche einsam
und verlassen, und keine Seele weit und breit. Er
dachte, die Männer hätten die Burschen noch erwischt,
und dann hätten sie sich vielleicht gegenseitig umgebracht, und keiner konnte mehr was erzählen.

Wir gingen so dahin und schwatzten. Plötzlich — ich
weiß auch nicht, wie — standen wir vor dem Gebüsch.
Es lief mir eiskalt den Buckel herunter, und ich rührte
mich nicht von der Stelle. Aber für Tom gab's natürlich kein Halten mehr. Er mußte einfach sehen, ob die
Leiche noch die Stiefel anhatte, und schon war er im
Gebüsch verschwunden — und in der nächsten Minute
kam er ganz belämmert heraus.

„Huck, er ist weg!"

Ich kippte fast aus den Latschen.

„Tom, das glaubst du doch selber nicht!"

„Wenn ich dir's sage, er ist weg — wie vom Erd-
boden verschwunden! Der Boden ist etwas zertram-

190

pelt, aber wenn eine Blutlache da war, hat sie der Regen weggewaschen; sonst sind nur Dreckpfützen da. Aber sieh doch selber nach!"

Endlich gab ich nach und kroch zitternd ins Gebüsch. Es war genau so, wie Tom sagte — keine Spur von einer Leiche.

„Verdammt und zugenäht!" fluchte ich. „Die Diamanten sind beim Teufel! Glaubst du, die Diebe sind zurückgekommen und haben ihn weggeschleppt?"

„Ja, sieht fast so aus. Fragt sich nur noch, wohin."

„Weiß ich doch nicht!" sagte ich wütend. „Und das ist mir auch völlig wurst. Sie haben die Stiefel, und alles andere kümmert mich einen Dreck. Die Leiche kann eine Ewigkeit warten, bis ich sie suche."

Tom war natürlich neugierig, was aus der Leiche geworden war. Aber er sagte, man findet sie sicher bald.

Ziemlich verstört schlichen wir nach Hause zum Frühstück. Es war mir, als hätte uns die Leiche übers Ohr gehauen, und ich hatte eine Mordswut auf sie.

8

Beim Frühstück ging's nicht gerade lustig zu. Tante Sally sah alt und müde aus. Sie ließ die Kinder herumtoben, wie sie wollten, während sie sonst doch immer gleich dazwischengefahren war. Tom und ich mußten uns so viele Sachen überlegen, daß wir gar nicht zum Reden kamen. Benny sah aus, als hätte sie kaum geschlafen, und immer, wenn sie ein wenig den Kopf hob, sahen wir Tränen in ihren Augen. Onkel Silas ließ sein Frühstück auf dem Teller kalt werden und starrte bloß vor sich hin; ich glaube, er hatte ganz vergessen, wo er war.

Als es schon eine ganze Weile totenstill war, klopfte es plötzlich, und ein schwarzer Wuschelkopf schob sich zur Tür herein — es war wieder der Nigger von gestern abend. Er sagte, sein Herr sei schrecklich durcheinander, weil sein Bruder immer noch nicht heimgekommen war, und ob Herr Silas —

Er blieb mitten im Satz stecken, als seien ihm die andern Worte auf den Lippen eingefroren, und starrte nur noch auf Onkel Silas. Onkel Silas war zitternd aufgestanden und klammerte sich am Tisch fest. Er schluckte ein paarmal und griff sich an die Kehle, und dann brachte er heraus: „Denkt er – denkt er vielleicht – was bildet er sich eigentlich ein? Sag ihm – sag ihm – " Jetzt sank er matt und kraftlos auf seinen Stuhl zurück und stieß gerade noch hervor: „Fort – geh fort!"

Der Nigger war ganz erschrocken und verzog sich schnell, und wir fühlten uns alle – ich kann euch gar nicht sagen, wie wir uns fühlten, aber es war einfach schrecklich. Und Onkel Silas keuchte und verdrehte die Augen, als sei sein letztes Stündlein gekommen. Wir hockten starr und steif da, aber dann stand Benny langsam auf und ging zu Onkel Silas und nahm seinen alten grauen Kopf in die Hände und streichelte ihn. Die Tränen liefen ihr über die Backen, und sie nickte uns zu, daß wir hinausgehen sollten. Wir gingen ganz leise hinaus, wie aus einem Sterbezimmer.

Tom und ich stapften ganz traurig zum Wald. Ach ja, wie anders war es doch in dem Sommer gewesen, als wir das erste Mal hier waren! Alle waren damals so froh und lustig, und jeder mochte Onkel Silas gern, und er war so gutmütig und vergnügt. Ein bißchen verschroben war er ja immer schon – aber wenn man ihn jetzt ansah, konnte man gleich losheulen. Wenn er noch nicht völlig den Verstand verloren hatte, dann war er dicht davor.

Es war ein herrlicher Tag, die Sonne strahlte nur so vom Himmel. Je weiter wir aus dem Dorf hinauskamen, desto schöner wurden die Bäume und Blumen, und wir konnten gar nicht mehr begreifen, daß man in dieser Welt so viele Sorgen haben konnte. Doch dann hielt ich plötzlich den Atem an und klammerte mich an Toms Arm — das Herz rutschte mir in die Hosentasche, und Leber und Lunge dazu.

„Da!" stieß ich hervor. „Da ist er!" Gleich sprangen wir hinter den nächsten Busch; wir zitterten am ganzen Leib, und Tom flüsterte: „Psst — keinen Ton!"

Auf einem gefällten Baumstamm saß der Geist; er hatte den Kopf in die Hände gestützt.

Ich flüsterte: „Los, wir hauen ab!"

Aber Tom rührte sich nicht von der Stelle, und allein traute ich mich nicht. Er sagte, wir würden vielleicht nie mehr einem Geist begegnen, und er wollte sich an diesem sattsehen, und wenn er dabei draufginge.

Da sah ich eben auch hin, obwohl es mich fast verrückt machte. Wenn Tom wenigstens still gewesen wäre! Aber nein, er mußte dauernd flüstern.

„Armer Jake!" wisperte er. „Er hat alle diese Sachen an, genau wie er uns sagte. Und er sieht noch so lebendig aus — "

„Ja, ganz echt. Genau wie vor seinem Tod."

Wir starrten eine Weile schweigend vor uns hin, dann fing Tom wieder an: „Also, das ist doch komisch . . . Sag mal, kann ein Gespenst am Tag rumspuken? "

Das war mir auch schleierhaft, und ich flüsterte zurück: „Ich glaube nicht. Jedenfalls hab ich noch nie so was gehört."

„Ich auch nicht", sagte Tom. Sie kommen erst bei Nacht heraus, zur Geisterstunde. Ich sag dir, mit dem

Geist stimmt was nicht — er hat einfach kein Recht, sich am hellichten Tag hier rumzutreiben. Sieht er nicht wie lebendig aus?" Er dachte ein bißchen nach und meinte dann: „Du weißt ja, Jake wollte doch den Taubstummen spielen. Ob sein Geist auch taubstumm ist? Ich kann ja mal was rüberschreien!"

„Um Himmels willen, tu das bloß nicht! Wenn du was schreist, fall ich auf der Stelle tot um!"

„Keine Sorge, ich bin schon still. Aber sieh mal — er kratzt sich am Kopf!"

„Ja, und?"

„Denk doch mal nach. Warum kratzt er sich am Kopf? Was juckt ihn denn? Sein Kopf ist doch aus lauter Nebel oder so was. Und Nebel juckt nicht — das weiß doch jedes Kind!"

„Ja, du hast recht. Aber wenn es ihn nicht juckt, warum zum Teufel kratzt er sich dann? Glaubst du, er kratzt sich nur aus Gewohnheit?"

„Ich weiß nicht — also wenn das ein Geist ist, dann hat er überhaupt kein Benehmen. Ich glaube fast, er — Huck!"

„Was ist denn jetzt los?"

„Er ist nicht durchsichtig!"

„Tatsächlich, Tom, du hast recht! Wenn der durchsichtig ist, dann ist eine Kuh auch durchsichtig! Also, langsam —"

„Huck, er nimmt eine Prise Tabak — er niest! Gespenster niesen nicht! Huck!"

„Ich höre."

„Er ist gar kein Geist! Er ist Jake Dunlap, und er lebt!"

„Nein!"

„Huck, haben wir eine Leiche im Gebüsch gefunden?"

„Nein."

„Und weißt du warum?"

„Also ... ich – "

„Es gibt gar keine Leiche!"

„Aber Tom, wir haben doch selber gehört – "

„Ja, wir haben Schreie gehört. Wenn jemand schreit, ist er noch lange nicht tot. Wir sahen vier Männer davonrennen, und dann kam Jake herausmarschiert, und wir dachten, es ist sein Geist. Wenn das ein Geist ist, bin ich auch einer. Er war lebendig und ist lebendig. Er hat sich die Haare abgesäbelt, wie er sagte, und er spielt den Fremden, wie er sagte – er lebt, ich schwör dir's!"

Langsam sah ich das auch ein. Ich freute mich riesig, daß sie ihn nicht um die Ecke gebracht hatten, und Tom ging's genauso. Wir wollten schon zu ihm hinrennen, da sagte Tom, halt, wir müssen so tun, als ob wir ihn nicht kennen. Aber es war kein Mensch sonst in der Gegend, und so dachte er, wir können schon mal hin. Tom lief also los, und ich blieb ein Stück hinter ihm, weil mir die Sache doch nicht so ganz geheuer war; vielleicht war's doch ein Geist, man konnte ja nie wissen.

Als Tom bei ihm war, glotzte Jake immer noch in den Boden, und Tom haute ihm auf die Schulter und sagte: „Na, kennen wir uns nicht?"

Da fuhr er hoch und sah ihn ganz erschrocken an; und wenn er sich freute, ließ er's jedenfalls nicht merken. Er fuchtelte nur mit den Händen in der Luft herum und machte „Gugugu", wie ein Taubstummer.

196

„Na, also, wenn wir allein sind — ", begann Tom wieder, aber da sahen wir Leute vom Dorf daherkommen. „Komm, wir hauen lieber ab", sagte Tom zu mir. „Nicht daß jemand Verdacht schöpft!"

Als wir wegliefen, meinte Tom, Jake hätte ganz recht, wenn er auch vor uns den Taubstummen spielt. Das war am sichersten und hielt ihn in Übung; und er konnte es auch schon erstklassig. Es war am besten,

wenn wir ihm aus dem Weg gingen und taten, als würden wir ihn nicht kennen. Dann konnte gar nichts schiefgehen.

Später trafen wir die Leute aus dem Dorf; sie hatten schon gehört, daß bei Brace Dunlap ein Fremder aufgetaucht war, und jetzt hatten sie ihn auch gesehen. Sie wollten natürlich alles mögliche über ihn wissen: wie er heißt, in welche Kirche er geht, welche Partei er wählt, wie lange er bleibt — und was die Leute halt so fragen. Aber wir stellten uns dumm und sagten, wir wissen gar nichts. Dann erzählten sie, sie wollten mit ihm sprechen, aber das sei schwierig, weil er immer nur „Gugu" macht, und seine Zeichen kapiert kein Mensch. Wir machten uns ein bißchen Sorgen um ihn, weil Tom sagte, er braucht Tage, bis er ein richtiger Taubstummer ist, und hoffentlich verplappert er sich nicht. Aber wir hatten ja selbst gesehen, wie gut er's schon konnte; da dachten wir, der alte Gauner wird's schon schaffen.

Ich war schwer enttäuscht, daß uns Jake nichts von dem Kampf im Gebüsch erzählt hatte, und Tom ging's genauso. Aber er sagte, wenn wir an seiner Stelle wären, hätten wir's vielleicht auch so gemacht. Er sei eben verdammt vorsichtig, und das könne nichts schaden.

Jetzt kamen wir zum Schulhaus, und es war gerade große Pause. Die Jungen und Mädchen freuten sich gewaltig, daß sie uns wiedersahen, und wir hatten viel Spaß. Ein paar waren dem Taubstummen schon heute morgen begegnet, als sie in die Schule gingen, und da gab's natürlich eine Menge zu erzählen. Viele hatten noch nie im Leben einen Taubstummen getroffen, und alle wollten ihn einmal sehen; ihr könnt euch denken, was da los war!

Wir mußten uns auf die Zunge beißen, damit wir jetzt nichts verrieten; das fiel uns verdammt schwer. Tom sagte, wir wären für sie die größten Helden, wenn wir jetzt auspackten; aber es sei noch viel heldenhafter, wenn wir dichthielten — von einer Million Jungen könnten das höchstens zwei. So dachte Tom, und dagegen gab's nichts zu sagen.

9

In den nächsten paar Tagen redeten die Leute nur noch von dem Taubstummen. Er kam in vielen Häusern herum und hatte bei allen einen Stein im Brett, und sie machten ein großes Trara um ihn und waren mächtig stolz, daß sie ein solches Weltwunder bei sich hatten. Dauernd wurde er zum Essen eingeladen, und sie mästeten ihn mit den leckersten Sachen und konnten ihn nicht genug angaffen und ausfragen. Sie waren natürlich schrecklich neugierig und wollten alles von ihm wissen; aber seine Zeichen kapierte kein Mensch, vielleicht nicht mal er selbst, und sein „Gugu" erst recht nicht. Doch sie hörten es gerne und fanden es wahnsinnig aufregend. Er hatte immer eine Tafel und eine Kreide, und die Leute schrieben Fragen drauf, und er schrieb Antworten drunter; aber niemand konnte seine Kritzeleien lesen, nur Brace Dunlap. Brace meinte zwar, er kann's nicht sehr gut lesen, aber meistens konnte er es ungefähr raten. Er sagte, die Schmierereien bedeuten, der Taubstumme sei von irgendwo weit her und sei ziemlich reich gewesen, aber dann hätten ihn ein paar Schurken übers Ohr gehauen. Und jetzt sei er arm wie eine Kirchenmaus.

Alle lobten Brace in den höchsten Tönen, weil er sich so um den Fremden kümmerte. Er ließ ihn ganz allein in einer Hütte wohnen, und seine Nigger mußten für ihn aufräumen und saubermachen.

Manchmal kam der Taubstumme auch zu uns. Onkel Silas war jetzt immer so traurig, und es tröstete ihn ein bißchen, weil der Fremde auch so übel dran war. Tom und ich taten, als hätten wir ihn vorher nie gesehen, und Jake machte es genauso. Sie redeten über alles, als wäre er gar nicht da, weil sie natürlich dachten, ein Taubstummer versteht doch nichts. Meistens kam mir's auch so vor, als paßte er gar nicht auf, aber manchmal schien er doch die Ohren zu spitzen.

Jubiter Dunlap war noch immer verschwunden, und die Leute begannen über ihn zu reden. Natürlich wußte keiner was Gescheites. Wieder vergingen ein paar Tage, und jetzt wurden alle ziemlich aufgeregt, und manche sagten, man hat ihn vielleicht um die Ecke gebracht. Das gab natürlich einen mächtigen Wirbel; die tollsten Schauermärchen erfanden sie. Am Samstag suchten Männer in zwei oder drei Gruppen den Wald ab, um vielleicht seine Leiche zu finden. Tom und ich waren natürlich dabei, und es war toll aufregend. Tom war ganz aus dem Häuschen und sagte, wenn wir beide die Leiche finden, werden wir berühmt, und die Leute reden nur noch von uns.

Aber nirgends war eine Spur von einer Leiche, und die Männer wurden langsam müde und gaben es auf. Tom war aber nicht so leicht unterzukriegen, und er machte die ganze Nacht kein Auge zu und dachte sich einen Plan aus. In der Dämmerung weckte er mich und sagte ganz aufgeregt: „Schnell, Huck, schnapp dir deine Kleider — ich hab eine Idee! Wir brauchen einen Bluthund!"

Der alte Jeff Hooker hatte einen Bluthund, und den wollte er sich ausleihen. Wir zogen uns schnell an und liefen ins Dorf. „Die Spur ist zu alt", sagte ich noch. „Und außerdem hat es geregnet."

„Das macht gar nichts, Huck. Wenn die Leiche irgendwo im Wald liegt, wird sie der Bluthund finden. Vielleicht ist sie verscharrt, aber wahrscheinlich nicht tief — und dann wird sie riechen, todsicher. Ich sag's dir, Huck, wir werden bald berühmt!"

Er glühte richtig vor Begeisterung. Und wenn er mal soweit war, dann war er nicht mehr zu bremsen. Wir würden die Leiche finden, das war für ihn schon sonnenklar; und dann würden wir dem Mörder auf die Spur kommen und ihm so lange auf den Fersen bleiben — aber da sagte ich: „Jetzt findest du erst mal die Leiche; ich glaube, das reicht für heute. Wir wissen ja noch gar nicht, ob eine da ist. Vielleicht hat sich der Kerl einfach verdrückt und ist gar nicht tot."

Das ärgerte Tom, und er sagte: „Sei doch kein Spielverderber, Huck! Was hast du denn davon? Ich sage dir, wie wir berühmt werden können, und du stellst dich so an! Ich wäre nicht so zu dir, das weißt du genau. Und ich sage dir, das ist wirklich eine erstklassige Chance — "

„Hör schon auf, ich sag ja gar nichts mehr. Denk, was du willst, mir ist es sowieso egal. Wenn er tot ist, soll mir's recht sein. Und wenn — "

Aber Tom hörte schon gar nicht mehr zu, weil er wieder nachdenken mußte.

Wir gingen weiter, und nach einer Weile sagte er: „Ja, das wäre schon toll, wenn wir die Leiche fänden und den Mörder jagten. Ich glaube, dann käme auch Onkel Silas wieder auf andere Gedanken — ich könnte wetten, daß ihn das freuen würde!"

Aber der alte Jeff Hooker schüttete kaltes Wasser auf seine Begeisterung. Denn als wir in seine Schmiede kamen und wegen dem Hund fragten, sagte er: „Den Hund könnt ihr von mir aus haben, aber die Leiche werdet ihr nicht finden — weil es keine Leiche gibt. Alle haben die Suche aufgegeben, und das war das Beste, was sie tun konnten. Denkt doch mal drüber nach! Warum bringt ein Mensch einen anderen Menschen um? Na, Tom Sawyer?"

„Also, er . . . manchmal aus Rache, und — "

„Halt, eins nach dem andern. Aus Rache, hast du gesagt. Das fällt schon mal flach. Wer hatte denn schon was gegen den Schwachkopf? Er ist doch viel zu dumm, um jemand was zu tun!"

Tom stand da wie ein begossener Pudel. Ich glaube, er hatte sich nie richtig überlegt, daß man ja einen Grund braucht, um jemand kaltzumachen. Der alte Hooker hatte recht; ein solches Würstchen wie Jubiter Dunlap konnte man gar nicht hassen.

„Also", sagte Jeff Hooker dann, „mit der Rache ist's also Essig. Was bleibt dann noch? Raub? Ja, natürlich, das wird's sein! Jemand wollte seine Hosenträger klauen, und — "

Aber da mußte er so lachen, daß er nicht weiterreden konnte. Er bekam einen richtigen Anfall, und ich dachte, wenn er nicht bald aufhört, erstickt er noch daran. Tom stand ganz belämmert da, und ich wußte, daß er sich bis in die Knochen schämte. Wären wir nur zu Hause geblieben!

Der alte Hooker legte jetzt erst richtig los und haute Tom vollends in die Pfanne. Er zählte alle möglichen Sachen auf, wieso man jemand umbrachte, und auch der Dümmste mußte einsehen, daß nichts auf Jubiter paßte. Er fand alles schrecklich komisch, und er riß die tollsten Witze über die Männer, die nach der Leiche gesucht hatten.

„Jeder, der auch nur ein bißchen Hirn hat, kann sich denken, daß der Faulenzer einfach ausgerissen ist", meinte er belustigt. „Er mußte sich wohl mal erholen, nach der schweren Arbeit! Wartet nur ab, in ein paar Wochen kommt er wieder angekrochen. Dann möchte ich euch mal sehen. Aber bitte, da habt ihr den Hund — nun sucht mal schön!"

Dann kriegte er wieder einen Lachanfall. Tom hätte sich am liebsten in ein Loch verkrochen, aber jetzt konnte er nicht mehr kneifen.

Also nahmen wir den Hund und verzogen uns schleunigst. Ich drehte mich noch einmal um, und der alte Hooker stand immer noch da und hielt sich den Bauch vor Lachen.

Es war tolles Wetter, und der Hund freute sich mächtig, daß er nicht mehr an der Kette war und einen Tag Ferien hatte; er sprang ganz lustig um uns herum und wedelte mit dem Schwanz. Aber Tom war so erschlagen, daß er ihn kaum beachtete; er wünschte, er hätte sich die Sache vorher überlegt, bevor er sich auf einen solchen Blödsinn einließ. Er sagte, der alte Hooker würde die Geschichte überall herumerzählen, und wir wären die Dummen.

So schlurften wir ziemlich schweigsam durch die Gegend. Als wir an dem Tabakfeld vorbeikamen, begann der Hund plötzlich ganz jämmerlich zu heulen. Dann scharrte er wie wild am Boden, und dann jaulte er wieder.

Wir liefen zu ihm hin und sahen erst mal gar nichts. Aber dann merkten wir, daß sich die Erde an der Stelle ein bißchen gesenkt hatte, wahrscheinlich vom Regen. Jetzt suchten wir natürlich aufgeregt den Boden ab, und da sahen wir die Umrisse ganz deutlich. Es war ein längliches Viereck — wie ein Grab. Wir blickten uns an und sagten kein Wort.

Der Hund war jetzt ganz außer sich und scharrte den ganzen Boden auf. Plötzlich schnappte er zu und zerrte einen Fetzen Stoff heraus. Wir rissen die Augen auf: Es war ein Ärmel — und darin steckte ein Arm.

„Die Leiche!" keuchte Tom. „Er hat die Leiche gefunden!"

Mir drehte sich fast der Magen um. Aber dann tauchten in der Ferne ein paar Männer auf, und wir rannten wie die Wilden auf sie zu. Als wir sie erreichten, sprudelten wir alles heraus, was wir gesehen hatten. War das eine Aufregung! Die Männer waren natürlich erst ganz von den Socken, aber dann holten sie Spaten, und wir führten sie zu der Stelle.

Der Hund hatte inzwischen den ganzen Arm ausgescharrt, und wir konnten den Köter kaum losreißen. Jetzt gruben die Männer weiter, und bald lag die Leiche vor uns. Vom Gesicht war überhaupt nichts mehr zu erkennen, aber das war gar nicht nötig.

„Der arme Jubiter!" riefen alle. „Das sind seine Kleider, bis zum letzten Fetzen!" Dann rannten gleich ein paar los, um die Leute im Dorf und den Friedensrichter zu alarmieren, und Tom und ich liefen nach Hause, so schnell wir konnten. Wir stürzten gleich in die Stube; Onkel Silas und Tante Sally und Benny saßen am Tisch.

Tom keuchte ganz atemlos: „Die Leiche — wir haben die Leiche von Jubiter gefunden! Wir beide — ganz allein! Alle hatten die Suche aufgegeben, aber wir sind mit Jeff Hookers Bluthund losgezogen — sonst hätte man sie nie im Leben gefunden! Er wurde ermordet — mit einem Stock oder so was. Und jetzt suche ich den Mörder, und ich werde ihn finden, darauf könnt ihr euch verlassen!"

Tante Sally und Benny sprangen auf; ihre Gesichter waren ganz blaß. Und plötzlich kippte Onkel Silas vom Stuhl und schlug mit dem Kopf auf den Boden. Wir sprangen hin und hoben ihn auf, und er stöhnte: „Mein Gott — mein Gott — ihr habt ihn gefunden — "

10

Wir setzten Onkel Silas sachte auf einen Stuhl; Benny half uns und streichelte sein Gesicht und tröstete ihn, und die arme Tante Sally war ganz verzweifelt.

Onkel Silas war noch ganz benommen. Er hielt sich den Kopf und wimmerte, und dann sagte er ganz leise: „Ich war's — ich hab ihn ermordet . . ."

Ich dachte, mich trifft der Schlag. Die andern sahen aus, als sei der Blitz in sie gefahren — und am schlimmsten traf es Tom. Wahrscheinlich meinte er, daß er seinen Onkel in einen viel größeren Schlamassel gebracht habe als je zuvor und daß es vielleicht nie soweit gekommen wäre, hätte er nicht mit Teufelsgewalt berühmt werden wollen — hätte er nur die Leiche

206

sein lassen, wie die anderen Leute vom Dorf! Aber dann riß er sich zusammen und sagte: „Onkel Silas! Sag so was nie wieder! Es ist gefährlich, und es ist überhaupt nicht wahr."

Tante Sally und Benny wurden ein bißchen ruhiger, als sie das hörten; aber Onkel Silas schüttelte nur ganz traurig den Kopf und fing an zu weinen.

Dann ächzte er wieder: „Nein, nein – ich hab's getan! Der arme Jubiter – ich hab ihn totgeschlagen, mein Gott! . . ."

Es war ganz schrecklich, daß er solche Sachen sagte. Und jetzt fing er erst richtig an! Er stöhnte in einem fort, er habe ihn umgebracht, und dann erzählte er stockend die ganze Geschichte.

Er sagte, es passierte an dem Tag, als Tom und ich ankamen, so gegen Sonnenuntergang. Jubiter hatte ihn so lange gequält und geärgert, bis er schließlich den Verstand verlor und ihm mit dem Stock eins über den Schädel schlug, und Jubiter fiel auf der Stelle um. Da tat es Onkel Silas gleich wieder leid, und er hatte mächtig Angst und kniete neben ihn hin. Er hob ihm den Kopf und jammerte und flehte, er soll doch sagen, daß er nicht tot ist. Bald kam Jubiter auch wieder zu sich; aber als er sah, daß Onkel Silas seinen Kopf hielt, sprang er ganz erschrocken auf und machte einen Satz über den Zaun und verschwand im Wald. Da hoffte Onkel Silas, daß er nicht schwer verwundet war.

„Aber – aber – ", sagte er jetzt, „es war nur die Todesangst, die ihm noch mal Kraft gab, und sicher wurde ihm bald ganz schwummrig, und er stürzte im Gebüsch – mein Gott! Niemand war da, um dem armen Kerl zu helfen, und dann – "

Die Tränen kamen ihm wieder, und er jammerte laut, er sei ein Mörder und trage das Kainszeichen auf der Stirn, und er habe Schande über seine Familie gebracht, und sie würden es herausfinden und ihn hängen. Aber Tom sagte: „Das ist doch alles gar nicht wahr! Du hast ihn nicht ermordet — es war jemand anders. Ein einziger Schlag kann ihn nicht getötet haben."

„Nein, nein, ich war's, niemand anders! Wer hatte denn sonst was gegen den armen Teufel?"

Er sah uns dabei an, als hoffte er, wir könnten ihm einen Menschen sagen, der einen Haß auf den harmlosen Schwachkopf gehabt hätte. Aber das konnten wir natürlich auch nicht, und so standen wir nur betreten da.

Da wurde er wieder schrecklich traurig; noch nie habe ich einen Menschen gesehen, der so elend aussah. Doch Tom kam plötzlich eine Idee.

„Halt!" rief er. „Jemand hat ihn doch begraben! Wer kann das nur — " Er hörte mitten im Satz auf, und ich wußte, warum. Das kalte Grausen kam mir, weil ich sofort an die Nacht dachte, als wir Onkel Silas mit dem langen Spaten verschwinden sahen. Auch Benny hatte ihn gesehen — das sagte sie später.

Tom verlegte sich nun darauf, Onkel Silas anzubetteln, er solle ja kein Sterbenswort davon erzählen, und wir andern sagten das natürlich auch. Tom flehte, er darf sich ja nicht selber anzeigen, und er meinte, wenn Onkel Silas schweigt, wird es nie jemand herauskriegen. Wenn jemand was davon erfuhr und sie ihm was taten, würde er nur seine ganze Familie unglücklich machen und ins Grab bringen. Da versprach er es endlich. Wir fühlten uns alle ein bißchen erleichtert und wollten ihn trösten.

Tom sagte: „Du brauchst nur zu schweigen — bald ist über die Sache Gras gewachsen. Wer sollte dich schon verdächtigen? Du warst immer so nett zu den Leuten, und du hast so ein gutes Herz. Du hilfst, wo du nur kannst, und nie verlangst du was dafür. Die ganzen Jahre warst du Prediger; von niemand hast du dafür Geld genommen, und alle hatten dich gern. Du wärst doch der letzte, der jemand was tun kann, das weiß jedes Kind. Niemand wird dich verdächtigen — nicht mal im Traum werden sie daran denken. Und —"

„Im Namen des Staates Arkansas verhafte ich Sie wegen Mordes an Jubiter Dunlap!" sagte da eine Stimme von der Tür — der Sheriff stand vor uns.

Es war einfach entsetzlich. Tante Sally und Benny warfen sich Onkel Silas um den Hals und heulten und flennten, und Tante Sally rief dem Sheriff ganz verzweifelt zu, er soll sich zum Teufel scheren, und sie würden Onkel Silas niemals hergeben; und alle Nigger kamen zur Tür und jammerten mit. Da konnte ich es einfach nicht mehr aushalten, und ich schlich mich hinaus.

Sie sperrten Onkel Silas in die Hundehütte, die sie Gefängnis nannten. Benny und Tante Sally besuchten ihn, und Tom und ich gingen mit. Wir wollten ihn alle ein bißchen trösten, aber Tom war ganz aufgeregt und flüsterte mir zu: „Wenn die nächste stürmische Nacht kommt, befreien wir ihn. Das wird mächtig aufregend, und es ist furchtbar gefährlich, und alle Leute werden darüber sprechen!"

Aber als Onkel Silas davon hörte, sagte er nein, und es sei seine Pflicht, alles mit Geduld zu ertragen, bis zum bitteren Ende; und er würde auch dann im Gefängnis bleiben, wenn keine Tür dran wäre. Da war Tom natürlich gewaltig enttäuscht, aber er konnte auch nichts daran ändern.

Tom hatte fürchterliche Gewissensbisse und dachte, er sei an allem schuld. Er schwor Tante Sally, auch wenn er Tag und Nacht schuften müßte, würde er beweisen, daß Onkel Silas unschuldig war. Tante Sally war sehr gerührt und streichelte ihm den Kopf; sie sagte, sie weiß genau, daß er sein Bestes geben wird.

Im Mai sollte die Gerichtsverhandlung sein. Tante Sally wollte unbedingt in der Nähe von Onkel Silas bleiben, und so wollte sie bis dahin bei der Frau des Gefängniswärters wohnen. Bevor wir wieder nach

Hause gingen, sagte sie uns noch, wir sollten Benny im Haus ein bißchen helfen; dann sagten wir ade. Tante Sally und Benny weinten; ich hätte fast mitgeheult.

11

Wir hatten alle Angst vor der Gerichtsverhandlung, aber wir fieberten auch danach. Und es dauerte noch so lange! Die Tage schlichen nur so dahin, und einer war trüber als der andere. Jeden Tag besuchten wir Onkel Silas und Tante Sally im Gefängnis, und das machte uns auch nicht gerade lustig. Tante Sally sagte, Onkel Silas würde nachts kaum schlafen, und das merkte man ihm auch an. Er sah erschöpft und elend aus, und wir fürchteten schon, er würde noch ganz verrückt werden oder sterben. Er ließ sich überhaupt nichts mehr sagen und jammerte immer, er sei ein gemeiner Mörder; er dachte jetzt sogar, er hätte Jubiter mit Absicht totgeschlagen, nicht nur aus Versehen. Das machte die Sache natürlich noch hundertmal schlimmer, und Tante Sally und Benny hatten schon überhaupt keine Hoffnung mehr. Ich dachte auch, daß alles verloren war – nur Tom gab nicht auf, und er lag oft die ganze Nacht wach und zerbrach sich den Kopf.

Endlich kam der Tag der Verhandlung. Wir waren alle da, und der Gerichtssaal war natürlich zum Brechen voll. Der arme Onkel Silas sah mehr tot als lebendig aus – er war nur noch Haut und Knochen, seine Augen waren hohl und schauten müde und traurig. Links und rechts von ihm saßen Benny und Tante Sally; beide hatten schwarze Schleier, daß man die Ringe um ihre Augen nicht sah. Aber Tom saß neben dem Verteidiger, und er mischte später beim Verhör auch kräftig mit. Manchmal ließ er den Verteidiger gar nicht zu Wort kommen und stellte alle Fragen selber; und das war gut so, denn der Verteidiger war eine ziemliche Niete und hatte so gut wie keine Ahnung. Vielleicht wundert ihr euch, wieso sich der Verteidiger das überhaupt gefallen ließ; aber in Arkansas gibt es ein Gesetz, daß der Angeklagte sich noch einen Helfer für seinen Verteidiger aussuchen darf, und der muß nicht mal erwachsen sein. Tom hatte Onkel Silas natürlich so lange beschwatzt, bis er ihn zum Helfer machte.

Bevor alles anfing, wurden die Geschworenen vereidigt. Dann stand der Ankläger auf und legte los. Und wie er loslegte! Er ließ kein gutes Haar an Onkel Silas, und als ich hörte, was er über den Mord sagte, traf mich fast der Schlag. Er behauptete nämlich, zwei gute Zeugen hätten gesehen, wie Onkel Silas Jubiter totschlug, und das würde er beweisen. Und Onkel Silas habe geschrien, daß er Jubiter umbringt, und er habe es mit Absicht getan. Die Zeugen hätten auch gesehen, daß Jubiter mausetot war, und dann soll ihn Onkel Silas ins Gebüsch geschleift haben. Später sei er wiedergekommen und habe die Leiche zum Tabakfeld geschleppt — zwei Männer hätten das gesehen. In der Nacht soll er Jubiter dann verscharrt haben, und sogar das habe jemand beobachtet!

Onkel Silas hatte uns die Geschichte aber ganz anders erzählt! Ich dachte, der arme Kerl hat uns was

vorgeschwindelt, weil er dachte, niemand habe es gesehen; sicher wollte er Tante Sally und Benny scho-
nen. Ich konnte das gut verstehen — ich hab schon
wegen ganz anderen Sachen geschwindelt.

Als der Ankläger aufhörte, gab es ein ordentliches
Durcheinander im Gerichtssal, das könnt ihr euch vorstellen. Der Verteidiger sah ganz belämmert drein, und
Tom blieb auch die Spucke weg. Aber er fing sich
gleich wieder und setzte sich kerzengerade, damit die
Leute sahen, daß er keine Angst hatte — doch er hatte
schon welche, das wußte ich.

Jetzt ließ der Ankläger nacheinander seine Zeugen
aufmarschieren, und das waren eine ganze Menge. Erst
kamen welche, die beweisen sollten, daß Onkel Silas
dauernd Krach mit Jubiter gehabt hatte. Sie sagten
alle, daß Onkel Silas den armen Kerl oft bedroht habe
und daß es zum Schluß immer schlimmer geworden
sei; zwei oder drei behaupteten sogar, Jubiter habe zu
ihnen gesagt, er hat Angst, daß ihm Onkel Silas eines
Tages den Kragen umdreht. Tom und der Verteidiger
wollten die Zeugen aus dem Konzept bringen, aber es
kam nicht viel dabei heraus.

Dann wurde es spannend, denn jetzt kam Lem
Beebe an die Reihe. Ich erinnerte mich noch ganz
genau, wie er damals mit Jim Lane an uns vorbeigekommen war. Sie hatten von Jubiter und seinem Hund
gesprochen, und das brachte mich dann auf die blöde
Ausrede mit den Brombeeren und der Laterne. Ja, und
nach ihnen kamen Bill Withers und sein Bruder Jack;
sie sagten was von einem Nigger, der Onkel Silas Salat
klaute. Dann tauchte unser Geist auf, der gar keiner
war — und jetzt saß er ganz lebendig auf einem be-

quemen Stuhl neben den Zeugen. Er hatte es gemütlich und konnte die Beine übereinanderschlagen — alle
anderen waren zusammengepfercht wie Heringe in
einem Faß und hatten kaum Platz zum Atmen.

Lem Beebe wurde vereidigt, und dann begann er:
„Also, es war an diesem 17. April, und ich kam da mit
Jim Lane daher, und wir kamen am Zaun vom alten
Silas vorbei. Ja, da hörten wir auf einmal, wie sich
zwei stritten; wir waren ziemlich nahe, und dazwi-
schen waren nur ein paar Büsche. Ich dachte, nanu,
dachte ich, was ist denn hier los? Ja, und dann hörte
ich den alten Silas schreien; ich kannte ihn an der
Stimme, und er schrie: ‚Ich hab dich gewarnt!' und
‚Ich schlag dich tot'. Ja, und dann sahen wir einen
Stock über den Büschen, und dann sauste er wieder
nach unten, und wir sahen ihn nicht mehr, aber wir

hörten so was Dumpfes, wie einen Schlag, und dann stöhnte einer — also, wir kriegten vielleicht einen Schreck! Dann schlichen wir ein Stück weiter und schielten um die Ecke — ja, und da lag Jubiter Dunlap und rührte sich nicht, und ich dachte, um Gottes willen, den hat's erwischt. Der alte Silas stand daneben, mit einem Stock in der Hand. Ja, und dann schleifte er die Leiche ins Gebüsch, und wir machten uns auf die Socken."

Also, das war ganz schrecklich. Alle hielten den Atem an, und während er erzählte, war es mucksmäuschenstill im Saal. Aber als er fertig war, gab es ein lautes Gemurmel, und die Leute starrten sich ganz entsetzt an, als wollten sie sagen: „Ist das nicht furchtbar — ist das nicht schrecklich!"

Nur Tom saß da, als ginge ihn das alles gar nichts an, und das wunderte mich mächtig. Als die ersten Zeugen dran waren, hatte er ganz gespannt zugehört, und er heizte ihnen gewaltig ein. Auch als Lem anfing, paßte er auf wie ein Schießhund, und sicher fiel ihm auf, daß er überhaupt nichts von seiner Unterhaltung mit Jubiter sagte. Ich dachte, er nimmt ihn hinterher auf Teufel komm raus ins Kreuzverhör, und ich stellte mir schon vor, wie er mich als Zeugen aufrief und wie ich erzählte, was wir in unserem Versteck gehört hatten — aber als ich nach einer Weile wieder zu Tom hinsah, kriegte ich vor Schreck eine Gänsehaut: Tom guckte in die Luft und dachte an irgendwas, nur nicht an ein Kreuzverhör. Er hörte Lem Beebe überhaupt nicht mehr zu, und als Lem fertig war, dachte er noch immer nach. Der Verteidiger stieß ihn in die Rippen, und da fuhr er zusammen, als sei er grade aufgewacht, und ich hörte ihn flüstern: „Nehmen Sie den Zeugen ins Verhör — tun Sie, was Sie wollen, aber lassen Sie mich in Ruhe. Ich muß nachdenken."

Also da war ich platt! Ich begriff überhaupt nichts mehr. Ich sah, wie Benny hinter ihrem Schleier ganz ängstlich auf Tom schaute, aber der merkte es gar nicht. So fragte unser Schmalspuradvokat den Zeugen aus, aber er ritt uns höchstens noch mehr in den Schlamassel hinein.

Der nächste Zeuge war Jim Lane, und er erzählte genau die gleiche Geschichte. Und Tom saß da und starrte Löcher in die Luft! Wieder mußte sich der Verteidiger allein den Zeugen vorknöpfen; er erreichte genau das gleiche wie vorhin, nämlich gar nichts.

Der Ankläger saß ganz behaglich auf seinem Stuhl, aber dem Richter gefiel es gar nicht, daß Tom sich überhaupt keine Mühe mehr gab. Wenn Tom schon fast das gleiche wie ein Anwalt war, dann sollte er sich auch ein bißchen anstrengen!

Zum Schluß fragte unser Verteidiger den Zeugen: „Warum sind Sie nicht gleich zum Sheriff gegangen, als Sie das sahen?"

„Ja, weil . . . wir hatten einfach Angst", sagte Jim Lane. „Wir wollten da nicht mit reingezogen werden. Ja, und außerdem — und außerdem wollten wir ja eine Woche auf die Jagd gehen, das heißt . . . aber als wir dann hörten, daß sie nach der Leiche gesucht hatten, gingen wir sofort zu Brace Dunlap und erzählten im alles."

Aber da rief der Richter dazwischen: „Sheriff, verhaften Sie die beiden Zeugen wegen Verdachts der Hehlerei!"

216

Der Ankläger fuhr wie von der Tarantel gebissen hoch und protestierte: „Euer Ehren, ich erhebe Einspruch gegen diese außergew ... — "

„Setzen Sie sich!" donnerte der Richter. „Ich ersuche Sie, die Würde des Gerichts zu achten!"

Der Ankläger schnappte nach Luft und plumpste auf seinen Sitz zurück. Als er sich etwas erholt hatte, rief er seinen nächsten Zeugen auf; es war Bill Withers.

Bill erzählte, wie er am 17. April mit seinem Bruder am Feld von Onkel Silas vorbeigekommen war, und dann sagte er: „Ja, und dann sahen wir einen Mann, der was Schweres mit sich rumschleppte. Es war schon ziemlich düster, wissen Sie, und wir dachten, es ist ein Nigger, der dem alten Silas einen Sack voll Salat geklaut hat — aber wir sahen ihn nicht genau, weil — na ja, aber dann merkten wir, daß es kein Nigger war und daß er einen Mann auf den Schultern trug; er hing ganz komisch droben, wissen Sie, die Arme baumelten so rum — ja, und da dachten wir, der ist ganz schön blau. Dann merkten wir, daß es der alte Silas war, der ihn trug — das sieht man am Gang, wissen Sie. Und wir dachten, er hat vielleicht Sam Cooper gefunden, weil der immer besoffen ist, wissen Sie, und dann liegt er immer im Straßengraben."

Die Leute kriegten das Zittern, wenn sie sich vorstellten, wie Onkel Silas die Leiche zu seinem Tabakfeld schleppte. Keiner hatte noch eine Spur Mitleid mit ihm, das sah ich, und ich hörte, wie irgendein Idiot zu seinem Nachbarn sagte: „Einfach scheußlich so was! Wie kann man nur eine Leiche rumschleifen — und dann verscharrt er sie auch noch wie einen Hund! Und so was will Prediger sein!"

217

Jetzt mußte Tom einfach was unternehmen — dachte ich; aber Tom dachte überhaupt nicht daran. Er starrte nur in einem fort ins Leere und grübelte und grübelte. Der Verteidiger bemühte sich verzweifelt, Bill Withers auszuquetschen; er gab sein Bestes, aber das war armselig genug.

Nun kam Jack Withers dran, und er erzählte natürlich das gleiche; Tom blieb nach wie vor stumm wie ein Fisch, und der Verteidiger strampelte sich natürlich umsonst ab — es war zum Heulen.

Dann trat Brace Dunlap in den Zeugenstand; er sah aus, als stecke ihm ein Reißnagel im Hintern, und dann quetschte er tatsächlich eine Träne aus dem Auge. Die Leute waren ganz gerührt, und eine alte Tante rief: „Der arme Mann! Der arme Mann!", und viele Frauen holten ihr Taschentuch heraus. Dann machte er den Mund auf, und alle spitzten die Ohren. Es war totenstill im Saal.

Brace Dunlap sprach ganz feierlich den Eid, und dann schluckte er erst mal, daß ich dachte, er fängt gleich zu flennen an. Er war auch ziemlich dicht davor, und er jammerte und klagte über seinen armen Bruder, daß den Leuten fast das Herz brach. Er sagte, nie hätte er gedacht, daß alles noch so kommen würde, und er machte sich die bittersten Vorwürfe. Aber wie konnte er auch glauben, was die Leute über Silas redeten? Wie konnte er auch denken, daß ein Prediger —

Da zuckte Tom plötzlich ein ganz klein wenig zusammen, und dann sah er gleich wieder weg. Was zum Teufel sollte das bedeuten?

Brace Dunlap faselte noch eine ganze Weile so weiter, und zwischendurch brach er mal fast zusammen,

218

aber dann kam er endlich zur Sache: „Also, an dem Tag kam er nicht zum Abendessen. Ich war ein wenig in Sorge und schickte einen meiner Nigger zum Haus des Angeklagten, aber er kam zurück und sagte, mein Bruder sei nicht dort; da war ich natürlich nicht gerade beruhigt. Ich ging ins Bett, aber ich konnte nicht schlafen. Ich wälzte mich dauernd hin und her, und schließlich hielt ich's nicht mehr länger aus und stand wieder auf. Es war spät in der Nacht, und ich lief zur

Farm des Angeklagten und sah mich überall um; ich dachte, vielleicht treffe ich doch noch meinen Bruder ... Ach ja, ich ahnte ja nicht, daß er diesem Jammertal – daß er schon in einer besseren Welt – "

Da brach er wieder fast zusammen, und ein paar Krokodilstränen kullerten seine Backen herunter. Manche Frauen begannen zu heulen, und die Männer schneuzten sich in ihre Taschentücher.

Brace ächzte und stöhnte noch ein bißchen, und dann sagte er: „Aber — aber — ich fand ihn nicht ... Da ging ich wieder nach Hause, aber ich machte die ganze Nacht kein Auge zu, so unruhig war ich. Und erst, als Jubiter am nächsten Tag auch nicht kam! Und am übernächsten ... Die Leute begannen darüber zu reden und über den Angeklagten, aber ich wollte nichts davon hören — dann dachten sie sogar, Jubiter wurde ermordet, und das — das konnte ich nicht glauben! Überall suchten sie seine Leiche, aber sie fanden keine Spur — da mußten sie es aufgeben. Jetzt dachte ich, mein armer Bruder ist vielleicht über alle Berge, damit er etwas Ruhe findet, und vielleicht kommt er wieder zurück — ach ja! Aber eines Abends, am 24. April, kamen Lem Beebe und Jim Lane ganz aufgeregt zu mir, und sie erzählten mir alles — der abscheuliche Mord — mir brach das Herz ... Aber da erinnerte ich mich an etwas. Damals hatte ich kaum drauf geachtet, weil ich wußte, daß der Angeklagte manchmal im Schlaf wandelte und ganz komische Sachen machte. Also, es war ... in dieser fürchterlichen Nacht, als ich so kopflos herumirrte — da kam ich auch am Tabakfeld des Angeklagten vorbei, und da hörte ich plötzlich ein Geräusch, so ... als gräbt einer. Ich schlich mich näher und schielte durch die Zweige, und da sah ich einen Mann mit einem langen Spaten, und er schüttete Erde in ein großes Loch, es war schon fast voll. Er drehte mir den Rücken zu, aber der Mond schien hell, und ich sah seinen grünen Arbeitskittel, und ein weißer Flicken war darauf — es war der Angeklagte. Und er verscharrte den Mann, den er ermordet hatte!"

Dann machte er eine jämmerliche Grimasse und plumpste wie ein Stein auf seinen Stuhl zurück, und der ganze Saal ächzte und stöhnte; die Frauen fielen fast in Ohnmacht, und jemand schrie: „O Gott, o Gott!" — ihr könnt euch gar nicht vorstellen, was da los war. Es summte wie in einem Bienenschlag, und als der Lärm am lautesten war, sprang Onkel Silas auf und schrie: „Ja, es ist wahr — alles ist wahr, Wort für Wort! Ich habe ihn kaltblütig ermordet!"

Er war weiß wie ein Leichentuch, und die Leute im Saal auch. Eine Sekunde lang rührte sich niemand von der Stelle, aber dann ging's erst richtig los! Im ganzen Saal sprangen die Leute auf, jeder wollte sein Gesicht sehen, und sie schubsten und drängten und stießen und kreischten. Der Richter haute mit seinem Hammer auf den Tisch, und der Sheriff brüllte: „Ruhe! Ruhe im Gerichtssaal!"

Und der arme alte Mann stand zitternd und bebend da, seine Augen glühten, und er sah starr geradeaus. Benny und Tante Sally klammerten sich an ihn und flehten ihn an, nichts mehr zu sagen, aber er schüttelte sie ab und rief, er wolle seine schwarze Seele von dem Verbrechen reinigen und die schwere Last von seinem Gewissen wälzen — und lauter solches Zeug. Und dann legte er los, und den Leuten fielen fast die Augen aus dem Kopf, und der Atem stockte ihnen. Tante Sally und Benny schluchzten, und mir wurde ganz schlecht — aber Tom Sawyer sah Onkel Silas nicht mal an! Kein einziges Mal! Er hockte da und starrte dauernd auf etwas — ich wußte nicht, auf was.

Onkel Silas schrie: „Ja, ich bin schuldig! Ich hab ihn ermordet! Aber es ist eine gemeine Lüge, daß ich ihn schon lange umbringen wollte. Ich wollte ihm nie was tun – bis zu dem Augenblick, als ich den Stock hob. In dieser Sekunde erstarrte mein Herz zu Eis – in dieser Sekunde wollte ich töten! In diesem einen Augenblick sah ich mein ganzes Elend vor mir – all das Leid, das mir dieser gottlose Halunke und sein nichtsnutziger Bruder zugefügt hatten. Von Anfang an wollten sie mich verderben und Schande über meine Familie bringen und mich zu einer Tat treiben, die unser ganzes Glück zerstören würde. Nie hatten wir ihnen ein Leid getan, und doch haßten sie uns – warum? Weil das reine, unschuldige Mädchen hier an meiner Seite nicht diesen gemeinen Schurken Brace Dunlap heiraten wollte, der hier einem Bruder nachweint, den er immer zum Teufel wünschte – "

Jetzt sah ich ganz deutlich, wie Tom zusammenzuckte – und dann lächelte er! Onkel Silas fuhr fort: „Ja, ich gestehe es – in diesem einen Augenblick vergaß ich meinen Gott und gedachte nur der Bitterkeit meines Herzens – der Herr vergebe mir! Und ich schlug zu, und ich wollte töten. Aber schon in der nächsten Sekunde tat es mir unendlich leid, und mein Gewissen marterte mich – aber ich dachte an meine arme Familie, und ihr zuliebe mußte ich meine Tat verbergen. So versteckte ich die Leiche im Gebüsch, und später schleifte ich sie zum Tabakfeld; und spät in der Nacht ging ich mit meinem Spaten hinaus und vergrub – "

Aber in diesem Augenblick sprang Tom auf und rief: „Ich hab's!"

Onkel Silas sah ihn ganz verdattert an, und Tom winkte ihm, er solle sich setzen. Dann sagte er ganz seelenruhig: „Ein Mord ist geschehen — aber Onkel Silas hatte nicht das geringste damit zu tun!"

Mit einem Schlag wurde es totenstill im Saal. Onkel Silas sank ganz verwirrt auf seinen Stuhl zurück, und Tante Sally und Benny starrten Tom mit offenem Mund an, der ganze Saal starrte mit; kein Mensch wußte, wo er dran war — so was hab ich noch nie erlebt. Tom sah zum Richtertisch und fragte: „Euer Ehren, darf ich sprechen? "

„Ja, um Himmels willen, ja!" rief der Richter ganz aufgeregt.

Tom wartete noch einen Augenblick, bis alle schon am Platzen waren, und dann begann er: „Seit einer Weile hängt hier draußen ein Plakat, und darauf steht, man kriegt zweitausend Dollar Belohnung, wenn man zwei Diamanten findet, die in St. Louis geklaut wurden. Die Diamanten sind zwölftausend Dollar wert, und — aber lassen wir das erst mal; ich komm noch drauf zurück. Nun zu diesem Mord: Ich weiß alles darüber — wie er passierte, wer der Mörder war — alles."

Das gab natürlich ein großes Volksgemurmel, und dann setzten sich alle zurecht und spitzten die Ohren, damit ihnen ja nichts entging.

„Also", fuhr Tom fort, „Brace Dunlap wollte Benny heiraten, und sie wollte ihn nicht. Da kriegte er eine solche Wut, daß er zu Onkel Silas sagte, das wird ihm noch leid tun. Onkel Silas wußte, daß Brace eine Menge zu sagen hatte, weil er so klotzig reich war; er hatte kaum eine Chance gegen ihn, und da kriegte er's mit der Angst zu tun und tat alles, um Brace ein bißchen zu besänftigen; er stellte sogar diesen Trottel

von seinem Bruder an, und er zahlte ihm einen anständigen Lohn, obwohl für die Familie kaum noch was
übrigblieb. Jubiter tat alles, was sein Bruder sagte, und
er ärgerte Onkel Silas bis aufs Blut. Das hatte sich
Brace fein ausgedacht: Er wollte Onkel Silas so reizen,
daß er Jubiter eins auf die Rübe gab, und dann hatte er
zwei Fliegen mit einer Klappe geschlagen – er war
seinen Bruder los, und er konnte es Onkel Silas heimzahlen. Erst begann er, die Leute gegen Onkel Silas
aufzuhetzen, und sie gingen ihm bald aus dem Weg
und sagten die gemeinsten Sachen über ihn – das
brach ihm fast das Herz.

Aber jetzt zu diesem 17. April. Zwei von diesen
Zeugen hier, Lem Beebe und Jim Lane, trafen Onkel
Silas und Jubiter bei der Arbeit – das stimmt, der Rest
ist erlogen. Onkel Silas sagte nicht, er bringt Jubiter
um; sie hörten keinen dumpfen Schlag, sie sahen keine
Leiche, und Onkel Silas versteckte nichts in den
Büschen. Seht sie euch an – jetzt sitzen sie da wie die
Ölgötzen und würden sich am liebsten in den Boden
verkriechen!

Aber weiter: Bill Withers und sein Bruder Jack
sahen einen Mann, der einen andern fortschleppte –
stimmt! Nur der Rest stimmt nicht. Erst glaubten sie,
es sei ein Nigger, der Onkel Silas Salat geklaut hat – ja,
das hätten sie sich nicht gedacht, daß sie jemand
belauscht! Aber mit der Zeit dämmerte es ihnen, wer
es wirklich war – Onkel Silas nicht. Doch sie wußten
schon, warum sie das schworen!

Eine Leiche wurde im Tabakfeld begraben – aber
nicht Onkel Silas war der Totengräber. Onkel Silas lag
nämlich um diese Zeit ganz friedlich im Bett.

Aber jetzt mal was anderes: Ist Ihnen schon mal aufgefallen, daß die meisten Menschen irgendwas mit ihren Händen machen, wenn sie in Gedanken sind? Die Leute wissen gar nicht, was ihre Hände tun. Manche reiben sich am Kinn oder an der Nase, manche fummeln an ihrer Uhrenkette rum, manche schreiben mit dem Zeigefinger einen Buchstaben — ich schreib zum Beispiel ein V, und meistens merk ich's gar nicht."

Tom hatte recht. Mir geht's genauso; nur mache ich ein O. Aber was zum Teufel wollte er damit?

„Also weiter: An diesem 17. April — nein, es war in der Nacht vorher — lag vierzig Meilen von hier ein Dampfer, und es ging ein gewaltiger Sturm. Unter den Passagieren war ein Dieb — der hatte die beiden Diamanten aus St. Louis. Als der Sturm am heftigsten tobte, floh er ans Ufer und verschwand in der Nacht, und er wollte hierher, ins Dorf. Aber auch seine beiden Kumpane waren an Bord. Sie hatten nämlich die Juwelen zu dritt geklaut, und er war allein verduftet, und jetzt jagten sie hinter ihm her. Er wußte ganz genau, daß er sich von ihnen nicht erwischen lassen durfte, sonst würden sie ihm die Diamanten nehmen und ihn umlegen. Aber sie bekamen Wind davon, daß er an Land war, und sie sausten hinterher. Sie fanden seine Spuren, und dann blieben sie ihm den ganzen Tag auf den Fersen, ohne daß er was davon merkte. Gegen Sonnenuntergang kam er zu dem Gebüsch und ging hinein; er hatte nämlich eine Verkleidung in seiner Reisetasche, und die wollte er anziehen, bevor er sich im Dorf blicken ließ. Das war kurz nachdem Onkel Silas Jubiter eins mit dem Stock versetzt hatte — ja, er schlug ihm auf die Rübe, das stimmt schon.

Aber als die Juwelendiebe ihren Kumpan im Gebüsch verschwinden sahen, rannten sie ihm nach und fielen über ihn her. Und dann brachten sie ihn um die Ecke. Er brüllte noch, aber das nützte ihm gar nichts — sie schlugen ihn tot. Aber jetzt kamen auf der Straße zwei Männer daher, und sie hörten die Schreie. Sie liefen zum Gebüsch, und als die beiden Schurken sie sahen, zogen sie schleunigst Leine. Die Männer jagten hinter ihnen her, gaben es aber bald auf und gingen zum Gebüsch zurück — dahin wollten sie sowieso.

Ja, und was taten sie dann? Ich kann's Ihnen sagen: Sie fanden die Verkleidung des Diebes, und einer von den beiden zog sich die Verkleidung an. Wer aber war der Mann, der in die Verkleidung schlüpfte?"

Tom machte eine kleine Kunstpause, und dann sagte er laut und deutlich: „Es war Jubiter Dunlap!"

Der ganze Saal stöhnte auf, und Onkel Silas bekam ganz große Augen.

„Ja, es war Jubiter Dunlap. Quicklebendig, wie Sie sehen! Jubiter Dunlap schlüpfte in die Verkleidung, und die Leiche steckten sie in die Lumpen von Jubiter. Zum Schluß zog Jubiter noch die Stiefel des Toten an, und der andere Mann schleppte die Leiche auf dem Rücken davon. Und nach Mitternacht schlich der andere zum Haus von Onkel Silas und nahm seinen alten grünen Arbeitskittel — er kannte sich nämlich dort aus. Und dann klaute er noch den langen Spaten und ging zum Tabakfeld und begrub den Toten. Und wer war der Tote?"

Wieder machte Tom eine Pause, und die Leute saßen wie auf Kohlen. Ich glaube, ich wäre geplatzt, wenn ich's nicht schon gewußt hätte.

„Der Tote war Jake Dunlap! Der verschollene Dieb!"

„Großer Gott!" rief einer aus dem Saal, und Tom fuhr fort: „Fehlt nur noch der Kerl, der die Leiche vergrub: Das war Brace Dunlap! Ach ja, und hier sitzt ja auch noch dieser geheimnisvolle Fremde."

Und mit einem Satz war Tom bei dem Taubstummen und riß ihm die Brille von der Nase und den falschen Bart vom Kinn, und da saß eine lebendige Leiche: Jubiter Dunlap!

Junge, Junge, war das ein Lärm im Saal! So was habt ihr noch nie erlebt. Manche sprangen auf, manche fielen vom Stuhl, und alle schrien durcheinander. Tante Sally und Benny schluchzten los, und dann umarmten sie den alten Onkel Silas und drückten ihn fast zu Tode. Onkel Silas begriff überhaupt nichts mehr, und er war so durcheinander wie noch nie in seinem Leben, und das will was heißen. Dann riefen die Leute, Tom solle weitersprechen, und allmählich wurde es wieder ruhiger, und alle schauten auf Tom. Ja, das war schon eine große Sache, wenn man so ein Held war, und Tom fühlte sich auch unheimlich gut.

„Ja, da wären noch ein paar Kleinigkeiten", sagte er. „Als Brace Dunlap Onkel Silas schließlich so weit hatte, daß er den Kopf verlor und Jubiter schlug, sah er wohl seine Chance. Jubiter floh in den Wald, und ich glaube, er sollte bei Nacht abhauen. Dann hätte Brace den Leuten eingeredet, Onkel Silas hätte ihn ermordet und die Leiche irgendwo verscharrt — so wollte er den armen Onkel Silas ruinieren. Aber dann fanden sie die Leiche im Gebüsch, und da hatte Brace noch eine bessere Idee. Übrigens glaube ich, sie merkten gar nicht, daß der Tote ihr Bruder war, weil ihn seine Mörder so übel zugerichtet hatten. Also, die Idee war, daß Jubiter die Verkleidung der Leiche anzog, und den Toten steckten sie in Jubiters Kleider. Dann verscharrte ihn Brace. Wenn man ihn später fand, mußten Jim Lane und Bill Withers und die andern ein paar faustdicke Lügen schwören – dann war's um Onkel Silas geschehen. Und Onkel Silas brach ja vorhin auch zusammen und stammelte lauter wirres Zeug, und beinah hätten sie's geschafft."

Dann erzählte Tom noch unser ganzes Abenteuer mit Jake und den Diamanten und dem Mord. Schließlich kam er zur Verhaftung von Onkel Silas und wie wir alle traurig waren und daß er überhaupt nicht wußte, wie er ihm helfen sollte.

„Als die Verhandlung anfing, war ich ganz verzweifelt. Aber dann sah ich etwas, und ich begann zu überlegen, und ich sah es nochmals, und ich dachte ganz scharf nach – und dann hatte ich's. Als dann Onkel Silas mit seiner Geschichte daherkam, wußte ich, daß Jubiter im Saal saß. Ich kannte ihn ja noch von früher, und da war es mir schon aufgefallen."

„Und was war das denn?" fragte der Richter ungeduldig.

„Also, Jubiter sah, daß sie drauf und dran waren, Onkel Silas tatsächlich einen Mord anzuhängen, den er gar nicht begangen hatte – da wurde er immer nervöser und unruhiger. Und da begannen seine Hände zu zucken, und dann kroch seine linke Hand den Ärmel rauf, und seine Finger zeichneten ein Kreuz auf seine Backe – und da erkannte ich ihn! Das hatte er auch früher schon getan, und niemand sonst!"

Da schrien alle hurra und klatschten in die Hände und stampften mit den Füßen. Tom war so glücklich, daß er kaum mehr wußte, was er anfangen sollte.

Der Richter sah von seinem Tisch zu ihm herunter und sagte: „Ich staune über dich, mein Junge! Du hast das ja erzählt, als hättest du alles mit eigenen Augen gesehen. Wie hast du das bloß rausgefunden?"

Tom platzte fast aus den Nähten vor Stolz, aber er tat ganz bescheiden: „Och, ich habe dies und das gesehen und gehört, und den Rest hab ich mir zusammengereimt. Es war eine ganz gewöhnliche Detektivarbeit, jeder könnte das."

„Nichts da! Das kann vielleicht einer von einer Million!"

Wieder ließen die Leute Tom hochleben, und dann fragte der Richter: „Aber bist du auch sicher, daß deine Geschichte haargenau stimmt?"

„Ganz sicher, Euer Ehren. Hier ist Brace Dunlap — soll er sie doch leugnen! Aber er ist ziemlich still, und sein Bruder macht auch keinen Mucks, und auch nicht die Zeugen, die gelogen haben. Und wenn Onkel Silas was dagegen sagen wollte, dann würde ich ihm auch unter Eid nicht glauben!"

Darüber lachten alle, und selbst der Richter schmunzelte. Tom strahlte nur so; er blieb eine Weile still, aber dann sagte er plötzlich: „Euer Ehren, in diesem Saal sitzt ein Dieb."

„Ein Dieb?"

„Ja, Euer Ehren, und er hat die Diamanten aus St. Louis bei sich."

Gab das wieder eine Aufregung! Alle riefen: „Wer? Wer ist es? Zeig den Dieb!"

230

„Es ist Jubiter Dunlap!"

„Das ist eine Lüge!" brüllte der Taubstumme plötzlich, und alle waren wie versteinert. „Das darf er mir nicht auch noch in die Schuhe schieben! Ja, ich hab die andern Sachen gemacht — Brace hat mich dazu angestiftet, und er versprach mir alles mögliche dafür. Ich weiß, daß ich's nicht hätte tun dürfen, und es tut mir leid. Aber ich hab keine Diamanten gestohlen, das ist eine Lüge!"

„Vielleicht hätte ich ihn keinen Dieb nennen sollen", sagte Tom. „Er stahl die Diamanten, aber das wußte er selbst nicht. Er stahl sie seinem Bruder Jake, und seither läuft er mit den Diamanten rum und ist doch arm wie eine Kirchenmaus. Er hat sie auch jetzt bei sich!"

„Durchsuchen Sie ihn, Sheriff!" befahl der Richter.

Der Sheriff filzte ihn gründlich, das könnt ihr mir glauben. Er tastete ihn von oben bis unten ab; er suchte in seinem Hut, in seinen Socken, in seinen Stiefeln, einfach überall — keine Diamanten. Schließlich gab er es auf, und alle waren ganz enttäuscht, nur Jubiter nicht.

„Ich glaube, diesmal hast du dich geirrt, mein Junge", sagte der Richter.

Da kratzte sich Tom am Schädel und tat so, als würde er scharf nachdenken.

Dann sagte er: „Ah, jetzt hab ich's! Ich hatte es nur vergessen." Das war natürlich gelogen. „Kann mir jemand einen Schraubenzieher leihen? "

Die Leute wunderten sich natürlich mächtig, was Tom mit einem Schraubenzieher wollte, aber schließlich trieben sie einen auf.

„Stell deinen Fuß auf den Stuhl", sagte Tom jetzt zu Jubiter. Dann bückte er sich und schraubte das Plättchen vom Absatz – und da war ein Diamant! Tom hielt ihn hoch und ließ ihn in der Sonne funkeln, und die Menge hielt den Atem an. Jubiter sah ganz elend aus, und das konnte ich gut verstehen; wenn er mit den Diamanten abgehauen wäre, wäre er jetzt ein reicher Mann und aus dem ganzen Schlamassel heraus.

Als Tom auch noch aus dem andern Absatz einen Diamanten hervorzauberte, wurde Jubiters Gesicht noch länger.

Alle klatschten Tom Beifall und schrien und trampelten wie vorher. Der Richter ließ sich die Diamanten geben, und dann stand er auf und räusperte sich.

„Ich werde die Diamanten in Verwahrung nehmen und den Besitzer verständigen", sagte er, und zu Tom gewandt fuhr er fort: „Und sobald die zweitausend

Dollar Belohnung kommen, wird es mir eine Freude sein, sie dir auszuhändigen. Du hast das Geld verdient, mein Junge, und du hast den wärmsten Dank des Gerichts und dieser Gemeinde verdient, weil du eine ehrbare Familie vor dem Ruin gerettet hast. Auch ist es dir zu danken, daß ein verachtenswerter Verbrecher und seine Helfershelfer ihrer gerechten Strafe entgegensehen."

Jetzt fehlte nur noch eine Blaskapelle, die einen Tusch blies, aber ich fühlte mich auch so schon ganz schön feierlich, und Tom sicher auch.

Ja, und dann schnappte sich der Sheriff Brace Dunlap und seine Kumpane und führte sie ab. Einen Monat später wurden sie vor Gericht gestellt, und die ganze Bande wanderte ins Kittchen. Die Leute schämten sich, daß sie Onkel Silas so schlecht behandelt hatten, und sie kamen wieder in Scharen in seine Kirche. Alle waren jetzt riesig nett und lieb zu ihm und zu Tante Sally und Benny. Onkel Silas konnte es noch gar nicht fassen, und er predigte den größten Kauderwelsch, den man sich nur denken kann; aber alle sagten, das sind die schönsten Predigten, die sie in ihrem ganzen Leben gehört haben. Nach und nach kam Onkel Silas wieder zu Verstand, und er wurde wieder so normal wie in alten Zeiten; und so waren alle glücklich und vergnügt. Ihr könnt euch gar nicht vorstellen, wie sie Tom Sawyer verwöhnten – und mich auch, obwohl ich gar nichts für sie getan hatte.

Als die zweitausend Dollar kamen, gab mir Tom die Hälfte und sagte niemand ein Wort davon. Aber das wunderte mich nicht, denn ich kannte ihn ja – den großen Helden Tom Sawyer.

NACHWORT

für Erwachsene und solche, die es werden wollen

Zwei Lausbuben machten Mark Twain unsterblich. Millionen begeisterter Leser verschlangen die Abenteuer Tom Sawyers und Huckleberry Finns, die Kritik feierte das ‚Epos von Amerikas glücklicher Kindheit‘ (die gar nicht so glücklich war). Amerika war schon etwas älter geworden, als neue Geschichten der beiden ewig jungen Freunde herauskamen: „Tom Sawyer Abroad" („Reise im Ballon") erschien 1894, 1896 folgte „Tom Sawyer, Detective" („Tom Sawyer als Detektiv").

Nach dem Erfolg von „Huckleberry Finn" fehlte es Mark Twain nicht an Ideen für neue Abenteuer seiner jugendlichen Helden; nur mit der Ausführung haperte es zunächst. Den Plan, Tom und Huck zu den Indianern reisen zu lassen, gab der Autor bald wieder auf. Statt dessen segelten sie Jahre später im Ballon nach Afrika. Mary Mapes Dodge hatte Twain bestürmt, etwas für ihre Kinderzeitung „St. Nicholas" zu schreiben; 5000 Dollar war ihr der Spaß für ihre jungen Leser wert. Mark Twain konnte das Geld gut gebrauchen: Über seinem New Yorker Verlag Charles L. Webster kreiste der Pleitegeier, und die Millionen, die der Schriftsteller in eine Setzmaschine investierte, sollte er auch nie wiedersehen.

Doch er hoffte noch auf ein Wunder der Technik, als er 1892 in Bad Nauheim Toms „Reise im Ballon" begann; die letzten Kapitel schrieb er im Winter in der

Villa Viviani, Florenz. Die „Reise im Ballon" („Tom Sawyer Abroad") erschien zuerst als erfolgreiche Serie in „St. Nicholas", dann als letzter Titel des Verlags Charles L. Webster. Der ging am 18. April 1894 tatsächlich Pleite — am gleichen Tag, an dem „Tom Sawyer Abroad" beim Copyright-Office in Washington registriert wurde.

Die Ballon-Idee kam Twain übrigens schon 1868: Damals sollte ein französischer Sträfling in einem Luftschiff entfliehen und zwölf Tage später halb verhungert in der Prärie von Illinois gerettet werden. Doch 1869 erschien eine englische Übersetzung von Jules Vernes „Fünf Wochen im Ballon" — immerhin 23 Tage länger als Twain für seinen Sträfling vorgesehen hatte —, und er gab den Plan vorläufig wieder auf. Über zwanzig Jahre später ließ Twain dann anstelle des Sträflings seine kleinen Gauner Huck und Tom durch die Lüfte gondeln.

Im Winter 1894—1895 schrieb Mark Twain die Detektivgeschichte „Tom Sawyer, Detective"; 1896 veröffentlichte sie der Verlag Harper and Brothers in einem Band, der auch die „Reise im Ballon" enthielt. Den Stoff fand Twain — wie er in einer Fußnote vermerkte — in dem Bericht über einen „schwedischen Strafprozeß aus alter Zeit". Tatsächlich hatte die Verhandlung im 17. Jahrhundert in Dänemark stattgefunden. Dieselbe Quelle wie Twain benutzte offensichtlich auch der dänische Autor Steen Steensen Blicher für seinen Roman „Der Pfarrer von Veilby", und Mark Twain wurde prompt des Plagiats beschuldigt. Doch erwies er sich als so unschuldig wie der arme Onkel Silas seiner Geschichte; er hatte den Roman des Dänen nicht gelesen.

Die Detektivliteratur, 1841 durch Twains Landsmann Edgar Allan Poe mit dem „Doppelmord in der Rue Morgue" begründet, erfreute sich schon im neunzehnten Jahrhundert ständig wachsender Beliebtheit; allerdings waren die Grenzen zu den verwandten Gattungen des Abenteuer-, Schauer- und Schelmenromans noch meist verwischt. Neben anderen literarischen Größen wie Dickens und Wilkie Collins hatte sich auch Mark Twain bereits — wenn auch satirisch-parodistisch — mit Detektiven befaßt. 1877 schrieb er mit Bret Harte das Theaterstück „Ah Sin"; darin wurde ein abscheulicher Mord angenommen, eine falsche Anklage erhoben und eine überraschende Lösung aufgetischt. Überrascht — freilich unangenehm — war hinterher auch Mark Twain: „Ah Sin" fiel durch. Vielleicht gab Twain seinem Mitautor die Schuld; jedenfalls machte er sich 1877 auf eigene Faust an ein weiteres Detektiv-Stück, „Simon Wheeler, der Amateurdetektiv", und als auch das keine Begeisterungsstürme entfachte, walzte er es zu einem (unvollendeten) Roman aus. Selbst in „Huckleberry Finn" sind Elemente der Detektivgeschichte enthalten. Nach Twains ursprünglichen Absichten sollten sie noch deutlicher hervortreten: Tom sollte — in ähnlicher Rolle wie der unglückliche Simon Wheeler — den Neger Jim von der Anklage des vorgetäuschten Mordes an Huck entlasten.

In „Tom Sawyer, Detective" durfte er eine solche Rolle dann endlich spielen. Die Geschichte wurde merklich beeinflußt durch die Abenteuer Sherlock Holmes', des berühmtesten aller Detektive, dem der schottische Arzt Arthur Conan Doyle 1887 Geburtshilfe geleistet hatte und der bereits im zarten Alter von drei Jahren seinen Siegeszug um die Welt antrat. Mark Twain machte Tom zu einem Sherlock Holmes des Mississippi und stellte ihm Huck als Watson zur Seite. Er schuf damit die erste Detektivgeschichte für Kinder – und zugleich die letzte seiner Tom-und-Huck-Erzählungen.

Reinhard Wagner

MARK TWAIN

Er hieß eigentlich Samuel Langhorne Clemens, doch einmal erreichte ihn auch ein Brief mit der Adresse: „An Mark Twain. Der Teufel weiß, wo" — Diese Berühmtheit verdankte er vor allem seinen autobiographisch gefärbten ‚Weltjugendbüchern' „Tom Sawyer" (1876) und „Huckleberry Finn" (1884). — 1835 in Florida (Missouri) geboren, wuchs er am Mississippi auf; nach seinem zwölften Lebensjahr war er nacheinander Setzerlehrling, Druckergeselle auf Wanderschaft, Lotse auf dem Mississippi und Goldsucher in Nevada. Um 1862 legte Clemens sich sein Pseudonym zu („mark twain", der Lotsenruf „markiere zwei" Faden Tiefe) und wurde bald als Journalist und Schriftsteller bekannt. 1867 bereiste er als Korrespondent Europa, 1870 heiratete er Olivia Langdon. Mit der Zeit erwarb sich Twain ein beträchtliches Vermögen, das er jedoch durch Fehlinvestitionen wieder verlor; um seine Schulden abzudecken, unternahm er eine Vortragsreise um die Welt. Er starb 1910 in Redding (Connecticut). — Neben seinen Jugendbüchern und unzähligen Kurzgeschichten schrieb Mark Twain noch eine Reihe weiterer Werke, darunter „Die Harmlosen im Ausland" (1869), „Leben auf dem Mississippi" (1873) und „Ein Yankee an König Artus' Hof" (1889).

REINHARD WAGNER

Der Herausgeber dieses Bandes — 1945 in Göppingen geboren — studierte Anglistik und Germanistik; als Student leitete er die kleinste Kunstgalerie Deutschlands (Rundfunk-, Fernsehaufnahmen). Seine literarische Tätigkeit begann er als Ghostwriter und Übersetzer englischer Literatur. Heute lebt er als Publizist und freier Mitarbeiter belletristischer Verlage in Tübingen. Er schreibt — unter anderem — Kurzgeschichten und Kunstkritiken; neben der Jugendliteratur befaßt er sich mit angelsächsischem Humor, Detective Stories und vor allem mit der Karikatur der Neuzeit, über die er ein umfassendes Werk plant.

Weg zur Farm
Brace Dunlaps

Haus des
Richters

Gefängnis

Kirche

Friedho[f]

Haus des
Sheriffs

Schule

Farm von Onk[el]

Jeff Hookers
Haus

Lagerhaus

Gasthaus

Dampfersteg

Mississippi

las

Tabakfeld

Wald, in dem die
Leiche gesucht wurde

Treffpunkt
hinterm Tabakfeld

Stelle, an der
Jake erschlagen
wurde

Gebüsch,
in dem sich die
Jungen versteckten

Hier wurde die Leiche
Jake Dunlaps vergraben

Uferstraße